MÍSTICA, PLÁSTICA Y BARROCO

EMILIO OROZCO

Mística, plástica y barroco

CUPSA EDITORIAL   MADRID

colección goliárdica

Dirección: MARIA HERNANDEZ ESTEBAN

© Emilio Orozco, 1977
Cupsa Editorial, Cristóbal Bordiu, 35, 2.º (207), Madrid-3 (España)
Diseño de colección y cubierta: Hans Romberg. Montaje: Jordi Royo.
En portada: *Cristo crucificado*. Dibujo de San Juan de la Cruz. Convento de la Encarnación. Avila.
En contraportada: Fragmento del *Juicio Final*, de Miguel Angel. Capilla Sixtina.

MÍSTICA, PLÁSTICA Y BARROCO

A mi hija Victoria

PRELIMINAR

Todo título de libro —más aún quizá que cualquiera de nuestras expresiones en su adecuación de significado y significante—, por mucho que quiera ser expresivo y exacto como declaración de su contenido e intención, resultará siempre que dice más y dice menos de lo que en realidad se pretende decir. Y el problema de esa insuficiencia —y deficiencia— de expresión y caracterización del contenido que se quiere enunciar y anunciar en el título de un libro se extrema cuando —como en éste nuestro caso— los temas y hechos que se quieren considerar son varios y, sobre todo, vistos desde simultáneos enfoques que suponen la compleja interrelación de lo que normalmente se considera de forma separada. Comprendemos por qué ante la dificultad de titular un libro, opten algunos autores por buscar una expresión de una amplia, metafórica y hasta a veces, líricamente, vaga significación. El contenido resulta, así, indirecta o remotamente aludido; el título queda como flotando sobre la materia del libro, sin ceñirse ni apenas sugerir los temas concretos de lo que en él se expone. En otros muchos casos, de volúmenes de contenido vario, o en el que se reúnen distintos trabajos, sobre todo ensayos —a veces con escasa relación entre sí—, se opta por elegir como título del libro el que ostenta el primero de los escritos reunidos o, en ocasiones, el de uno cualquiera de ellos, pero que ofrece el título más sugestivo o de más rotunda significación en cuanto a la principal intención. En ello a veces cuenta —tanto en el libro de ensayos como en el de pura creación, de relatos breves— no sólo íntimas intenciones del autor, sino también razones personales y oportunidades del momento, o motivos editoriales e incluso comerciales. De aquí la extrema libertad con que hoy en día hasta se cambian los títulos de las obras al ser traducidas y asimismo la injustificada presencia de sugestivos o llamativos términos que denotan, o connotan, significaciones que atañen a ideologías socio-políticas, es decir a hechos o tendencias de actualidad en las actividades científicas o culturales.

Nosotros, al ofrecer hoy formando libro una serie de trabajos de vario carácter y extensión y de muy distintas fechas, pero de enfoque análogo o idéntico, e íntimamente trabados por una línea temática central —y por sus determinantes y consecuencias psico-sociológicas y estilísticas— y en los que las materias, correspondientes al campo literario y al de las artes visuales, se unen e interrelacionan siempre —aunque con predominio de estas últimas—, hemos preferido, al pensar el título que encabezase el conjunto, decidirnos por una solución que sólo en parte coincide con algunas de las antes propuestas y acostumbradas. Hemos elegido el título del primer trabajo, pero añadiéndole el término *Barroco* como expresión del elemento histórico-estilístico siempre presente o latente en todos los ensayos que constituyen el libro. Esto es, se incorpora el término empleado en su sentido más amplio de periodización temporal, aunque sin excluir, radicalmente, su significado secundario como *constante* o forma *recurrente*. Así, si el título de ese primer trabajo —dejando aparte el subtítulo que precisaba y restringía a su modesto alcance el contenido— era *Mística y Plástica*, hoy adoptamos para el libro en su conjunto el de *Mística, Plástica y Barroco*. Y no incluimos el de Manierismo por la razón de que aunque éste cuenta, y hasta de forma decisiva en alguno de los trabajos —subiendo incluso el término hasta el título—, sin embargo prescindimos de él al encabezar el libro porque no estuvo presente actuando —en el sentido amplio, con pleno valor de estilo, como precisamente nosotros lo hemos empleado en España con referencia a lo literario— cuando pensábamos y redactábamos el primero de los trabajos que aquí reunimos, que es en realidad, además, el germen y arranque de lo que ampliamente, y aumentado de perspectivas, se desarrolla en los ensayos que siguen y en otros posteriores hace pocos años publicados en libros aparte, especialmente en las obras *Manierismo y Barroco* —Salamanca, 1970 y 2.ª edición, Madrid, 1975— y *El Teatro y la Teatralidad del Barroco* —Barcelona, 1969—.

Dicho trabajo inicial —*Mística y Plástica*—, publicado en el *Boletín de la Universidad de Granada* en 1939, lo subtitu-

lábamos *Comentarios a un dibujo de San Juan de la Cruz*, y
como precisábamos en anotación inicial no *aspirábamos* con
esas notas más que «a exponer en torno al dibujo del Crucificado de San Juan de la Cruz, no desconocido, pero sí olvidado, unos ligeros comentarios en los que se apuntan algunos
aspectos no debidamente apreciados de las relaciones entre
los escritos de nuestros místicos y el arte religioso de la época».
Precisamente fuimos nosotros con dicho trabajo quienes en
realidad contribuimos a difundir el dibujo, nunca reproducido, aunque lo hicimos según el viejo grabado incluido
por fray Jerónimo de San José en la biografía del santo publicada en 1641. No intentamos entonces su reproducción
directa por estar muy manchado el original; pero, pocos años
después, el profesor don Gonzalo Menéndez Pidal logró con
sabia técnica fotográfica reproducirlo eliminando las manchas, y lo dio a conocer en 1943 en el número 2 del *Suplemento de Arte* de la revista *Escorial*. En esta forma volvimos a incluirlo años después como ilustración en nuestro libro *Poesía
y Mística. Introducción a la lírica de San Juan de la Cruz* —Madrid, 1959—. Desde ese momento el dibujo ha sido reproducido varias veces. Por último el original fue objeto de restauración —no plenamente acertada— y con ello su difusión
en estampas ha sido mayor. El hecho de que dicho dibujo
inspirara el conocido *Crucificado* de Salvador Dalí contribuyó
aún más a su conocimiento y difusión.

Estas notas en torno al dibujo de San Juan de la Cruz, en
su móvil inicial, se pensaron y redactaron más como consecuencia indirecta de otros propósitos y lecturas que como
independiente y directa intención movida por la intuición
y la reflexión literaria. Son, claro es, consecuencia de una
serie de lecturas, no sólo de las obras del santo —unidas a
las de trabajos referentes a él— y de los escritos teresianos,
sino también de otros de nuestros grandes autores ascéticos
y místicos del siglo XVI —especialmente franciscanos— y algunos del XVII. Pero hemos de confesar que en parte, esas
lecturas las habíamos hecho, y sobre todo intensificado, no
totalmente por los naturales móviles directos de nuestro
regular quehacer de profesor de literatura, que había de
atender necesariamente al conocimiento de esa inmensa par-
cela de nuestra historia literaria, tan original e importante
por sí misma, aunque no esté determinada su producción
por afanes artísticos, sino extra o metaartísticos. La especial

atención que hemos dedicado a esos libros de meditación
ha obedecido en parte a otros objetivos, aunque después
nos hayan retenido y, en algún caso, apasionado, como
tema central. Junto al ensayo *La Literatura religiosa y el
Barroco* —publicado por primera vez en 1962 en la *Revista
de la Universidad de Madrid* e incluido en el libro *Manierismo
y Barroco* con adiciones—, es testimonio de esa atención
el citado libro de *Poesía y Mística*.

Buscábamos entonces en ese mundo de la literatura ascética y mística la mejor explicación de la obra de un pintor
cartujo que antes de serlo, vivió cristianamente, como célibe,
en su taller toledano y después ingresó como lego en la Cartuja de Granada, donde, tras la ausencia de pocos años en la
del Paular, vivió santamente pintando sin cesar hasta que le
llegó la muerte cuando ya hacía años se le llamaba en la
comunidad «el santo fray Juan». Nos referimos al —sin
duda alguna— más grande pintor de naturalezas muertas,
fray Juan Sánchez Cotán.

Cuando terminábamos nuestra tesis doctoral sobre el pintor granadino Pedro Atanasio Bocanegra —leída en 1935—,
artista que extremó en sus lienzos los rasgos de belleza ideal,
grácil y delicada —casi de rococó—, sentimos la atracción por
contraste hacia el arte realista, simple y hasta ingenuo en su
directo expresarse de ese lego pintor castellano —entonces
casi un desconocido— que —también en Granada— había
desarrollado su obra con la humildad del que ofrenda su
trabajo a la divinidad, ya que —en forma equivalente a los
escritos de los místicos— con sus cuadros buscó, cual oración,
la comunicación con Dios y con los religiosos que le rodeaban.
Creó su obra en el retiro y soledad de la Cartuja, ajeno a
las inquietudes del mundo e incluso a las artísticas que se
desarrollaban en la ciudad; sólo se sintió conmovido por lo
bello de la naturaleza que le rodeaba; lo mismo las plantas,
flores y frutas que tenía cerca, que los luminosos paisajes que
divisaba desde las huertas de Aynadamar.

Pero, al enfrentarnos con este lego artista, no sólo nos
encontramos con el violento contraste —frente a Bocanegra—
de temperamentos y de formación y tendencias artísticas
distintas de escuela, y de diferente estado y condición social;
había otras radicales diferencias que alcanzaban a los más
íntimos determinantes —a pesar de cultivar ambos la pintura
religiosa— e incluso en parte a las distintas finalidades de la

producción del cuadro. Coincidían en parte en el *qué* a pintar
—esto es, en cuanto obra pictórica destinada a la vida religiosa—; pero ya en el *cómo* empezaban las divergencias;
y sobre todo aumentaban al considerar los íntimos y externos
determinantes del cuadro. Aunque los dos pintores vivieron
dentro de comunes creencias en cuanto a religión, había ya
gran distancia en la distinta profundidad —y ambiente—
con que cada uno la vivió, y, en consecuencia, había de ser
distinta y distante la intensidad y forma con que cada uno
la expresara. Bocanegra vive el ambiente familiar de un
hogar lleno de hijos que le exige la producción abundante
y el trabajo apresurado para atender los múltiples encargos.
Sus necesidades materiales y sus afanes de distinciones, ho-
nores y consideraciones sociales eran a la vez móvil y exigencias que había que atender. Su público era, de una parte
la Iglesia —comenzando por el propio cabildo Catedral—,
parroquias y conventos, aun de fuera de Granada; pero
también la nobleza y la burguesía de la ciudad, y sin faltar
la producción pública ocasional, más efímera, deslumbrante
y popular, para las decoraciones de altares, empalizadas y
arcos de triunfo levantados con motivo de las fiestas del
Corpus de la ciudad o de las repetidas conmemoraciones de
beatificaciones y canonizaciones de santos.

Cotán —sin pensar en el dinero, ni en la fama pública y
consideración social— fue hombre de vida consagrada al
trabajo, pero cambiando los móviles y los fines. El pintar era
la forma principal en que se realizaba su vida de lego, en la
que es medio y actividad esencial el trabajo manual; pero,
además, vida cristiana de riguroso cumplimiento ascético y
en la que su abundante producción se realiza por y para la
Orden. Aunque materialmente sus cuadros estén destinados
al templo, a las capillas y dependencias claustrales, era sin
buscar segundos intereses sociales ni emulación artística e
íntimamente determinados por una espiritualidad monástica cartujana. Sus obras tenían que reafirmar y avivar unas
devociones y estimular a los monjes, novicios y legos en
la dura vida de la regla, hasta incitarles incluso a la abstinencia y a saber gustar de la soledad y de la naturaleza. Y no
olvidemos que, además, el trabajo había cambiado de sentido para el lego pintor; era algo a lo que le obligaba la regla
como medio de conseguir su santificación, pero la compen-
sación buscada no estaba en este mundo —ni aun después

de la muerte— con una vida de fama de santidad, pues la
Orden nunca canonizó a sus religiosos. Hay, pues, unas diferencias esenciales —al compararlo con cualquier otro pintor
como Bocanegra— que alcanzó al *porqué*, al *para qué* y *para
quién* de la producción artística. La razón del que emite el
mensaje o comunicación en imágenes y también del *cómo*
han de recibirla los receptores —para emplear otra termino-
logía— y las resonancias que ha de tener en ellos son también, en buena parte, distintas a las que había de producir
en el amplio público de la sociedad el resto de la pintura que
se creaba en la ciudad.

Ante el hecho de resultarnos insuficiente para explicarnos
el arte del pintor cartujo la metodología tradicional en la
investigación artística, con el acopio de datos, estudio de su
formación, influencia y rasgos formales de su arte, estimamos
conveniente —como aspecto importante de interpretación—
adentrarnos en el conocimiento de la vida cartujana de su
regla, prácticas y devociones —y con ello de la psicología y
espíritu del lego artista— cosa por cierto que en este caso
era ya en principio más fecundo que si se tratara de un religioso de otra comunidad, por la razón de que esta Orden
nunca se ha reformado. Conocer la vida que hoy hacen los
legos cartujos es conocer la que hacían los mismos en la
Edad Media —por eso procuramos hacer vida de lego en una
cartuja—; sólo hay cambios en alguna técnica o instrumentos
de sus trabajos manuales y, junto a ello, los referentes a la
vida espiritual y modos de sentir. Estos cambios obedecen
a todo lo que procede de las corrientes de espiritualidad, a la
gran producción de literatura ascética y mística que, junto
a la cartujana, fue especialmente acogida por la Orden. Así,
si sabíamos que —aparte sus propios escritores— fray Luis
de Granada y San Juan de la Cruz fueron especialmente
leídos por los cartujos, ello señalaba una orientación a seguir
si queríamos descubrir un determinante esencial de la pintura del lego artista. Por eso en nuestro libro inédito —del
que hemos ofrecido aspectos aislados o de síntesis como el que
aquí publicamos— hubimos de estructurar el estudio de su
obra partiendo de tres determinantes: el histórico, el espiritual y el estético. Porque si en Cotán se cumple y aún más
plenamente que en otros casos la afirmación de Maritain
de que la obra de arte es producto del alma entera del artista,
también ha de cumplirse en él —y unido a ello— su depen-

dencia de una *situación histórica*, de un *ambiente espiritual* y de una *formal tradición artística*. Por dichas razones nos adentramos entonces —y en aquellos angustiosos momentos nos sirvió de recogimiento— en la lectura de nuestros escritores místicos; y como una apresurada y primera consecuencia crítica surgió este breve ensayo o anotación que titulamos *Mística y Plástica*.

El término *Mística* lo empleábamos con la misma amplitud con que en los estudios literarios se ha venido usando al referirse al gran conjunto de la producción de nuestros escritores de ascética y mística; recogía, pues, a la vez en su significado las experiencias de la vida espiritual, en todos sus grados, y su correspondiente expresión literaria en los más variados libros de meditación; incluso de las zonas de las más populares formas de la literatura devota, pues todo ello, directa o indirectamente —a través de la lectura y de la predicación—, actuaba en la mentalidad de todas las clases sociales —seculares y eclesiásticas— y por consiguiente en el mundo de los artistas, que no sólo como fieles, sino también por la necesidad de atender una demanda de iglesias, conventos y particulares necesitaban de una formación e información religiosa para ser intérpretes de unas formas de sentir la vivencia espiritual. Repetimos, pues, que en el término se comprende la doble designación o referencia a la experiencia religiosa o fenómeno espiritual y a su expresión escrita, oral e incluso plástico-visual, pues todas ellas, incluso la primera, buscan una forma de aproximación al lector hablando directamente al alma, adoctrinándole y conmoviéndole sensorialmente.

Análogamente, empleábamos el término *Plástica* en dicho título abarcando desbordadamente su estricto sentido; esto es, no ya ampliamente para comprender en él juntamente la escultura y la pintura, sino para designar en general toda la expresión artística —aun de valor estético mínimo— realizada a través de la imagen, incluyendo, eso sí, la efímera realización decorativa, el grabado, la ilustración de libros y la estampa popular. Es claro que pensábamos en especial en la imaginería, así como en todas sus formas y destinos, en la pintura para las iglesias y conventos, sobre todo en la abundante producción del cuadro devocional, que no sólo era demandado por esos medios eclesiásticos, sino también por los particulares; aunque las clases humildes disponían

a veces sólo del modesto medio de la estampa para avivar
su devoción.

La razón, pues, del título de nuestro artículo al unir ambos
términos no obedecía a gesto llamativo pretencioso, sino
al deseo de querer condensar en una simple y rotunda expresión no sólo un aspecto esencial de la relación entre las
artes —algo especialmente característico del Barroco—, sino,
más aún, la intercomunicación e interrelación en sus formas e intención expresiva de dos mundos, el de la espiritualidad religiosa y el de las artes visuales.

Aunque comprendemos la brevedad y modestos propósitos de este primer ensayo con que abrimos el libro y la ra-
pidez y temprana fecha en que lo redactamos, no hemos querido prescindir de él al componer este volumen, precisamente
por tener el carácter de núcleo o germen inicial que fue espontáneamente desarrollándose y dando vida a otros trabajos
posteriores, no sólo nuestros, sino también, por estímulo,
a otros ajenos. Se difundió su contenido y planteamiento,
favorecida su publicación de carácter local, por otros dos
conductos. En primer lugar a través del comentario que se
le dedicó en un importante trabajo de esos años del profesor
Lafuente Ferrari —*La interpretación del Barroco y sus valores
españoles*—, que colocó de *ensayo preliminar* a su excelente
traducción del sugestivo libro de Werner Weisbach *El Barroco arte de la Contrarreforma* —Madrid, 1942—. Allí se
cita nuestro ensayo amablemente, como *breve y notabilísimo
trabajo* que «ha reunido pasajes verdaderamente antológicos
que arrojan viva luz sobre nuestro arte. En ellos vemos —añade— que el realismo humano e individualizador de nuestros
imagineros, aquella emoción de presencia que buscan, ante
todo en sus imágenes devotas, coinciden sorprendentemente
con las visiones, las apetencias y las descripciones que nuestros místicos hacen en sus escritos. Nunca mejor puede ha-
blarse de una voluntad de expresión nacida de necesidades
espirituales, que se manifiesta con el mismo acento en la literatura y en el arte. Y esto —concluye el gran historiador de
nuestra pintura— nos lleva en el Barroco a la fuente común
de toda esta dirección espiritual».

Por otra parte, el profesor Guinard, tan gran conocedor de
nuestro arte, nos solicitó el envío de varias *separatas* de nuestro artículo para entregarlas a profesores franceses interesa-
dos por el tema. Así nuestro trabajo se desarrolló unos años

después en la crítica francesa en el librito del profesor Florissone *Esthétique et Mystique d'après Thérèse d'Avila et Saint
Jean de la Croix* —París, 1956—; aunque no estamos de acuerdo con algunas de sus conclusiones, según ya comentamos
en otro trabajo posterior, del que incorporamos aquí el trozo
que interesa al respecto. En España, también el profesor
Sánchez Cantón contribuyó a difundir nuestro ensayo en
1942, al tomarlo como punto de partida para una diserta-
ción académica ofrecida con motivo del cuarto centenario
del nacimiento del santo poeta que publicó seguidamente en
Escorial —número 25—, con el título *¿Cabe hablar de San Juan
de la Cruz y las Artes?* Hace pocos años el profesor Camón
Aznar ha vuelto sobre el tema con unas amplias miras y
viva pasión de escritor en su librito *Arte y pensamiento en
San Juan de la Cruz* —Madrid, 1972—.

Por nuestra parte fueron varias las directas consecuencias
que dicho breve ensayo tuvo desde entonces en nuestras
investigaciones de arte y literatura —ya que partíamos precisamente de los supuestos en él planteados—; el tema en
concreto siguió dando lugar a algún breve artículo y a nuevas consideraciones en varios de nuestros trabajos de temática artística y literaria, sobre todo con referencia al Barroco.
Lo primero —y en fecha inmediata— fue un breve artículo
que recogía parte de lo dicho en el ensayo y añadía otras referencias de textos, pues versaba sobre *Cómo sintieron y
pintaron los dolores de María nuestros escritores místicos*. Se
publicó en el mes de septiembre de 1940, en un número extraordinario del periódico local *Patria*, con motivo de las
fiestas de la Patrona de la ciudad; y por cierto que en el
periódico *Ya*, de Madrid, de la Semana Santa del siguiente
año un periodista —de cuyo nombre no me acuerdo ni
quiero acordarme— lo recogió sin indicar su procedencia.

De manera más general, sobre todo en cuanto a la expresión de religiosidad en el arte y su adecuación a lo Barroco,
al mismo tiempo que completábamos lo dicho por Mâle,
en cuanto a la influencia del Concilio de Trento en el arte
—recordando algún texto de las Actas, no citado ni utilizado
por aquél—, volvimos sobre el tema en la *Introducción* —que
titulamos *De lo aparente a lo profundo*— con que, en variadas
consideraciones de apresurada caracterización del estilo,
encabezamos nuestro libro de ensayos *Temas del Barroco.
De Poesía y Pintura* —Granada, 1947—.

Sobre el aspecto central de esa relación también volvimos a insistir en algunos pasajes de nuestro trabajo *Lección permanente del Barroco español* —Madrid, 1951; 2.ª ed., 1956—. Pero el trabajo en que desarrollamos el tema con mayor amplitud —la realización de lo que en nuestro primer trabajo se apuntaba— es el ensayo *La literatura religiosa y el Barroco* —Rev. de la Universidad de Madrid, número de 1962, dedicado al Barroco—. Tanto este trabajo como el anterior —ambos con adiciones— los incluimos en nuestro libro *Manierismo y Barroco* —Salamanca, 1970—, que en su segunda edición —Madrid, 1975— ha sido nuevamente adicionado. Por esa razón apenas ampliamos con nuevas notas o adiciones ese primer trabajo que hoy reeditamos. Sólo añadimos alguna información o comentario concreto que se nos hacía necesario para completar lo expuesto en el ensayo y lo ya dicho en estas palabras preliminares. Lo que se añade lo marcamos colocándolo entre corchetes, y en el caso de nota nueva repetimos el número de la anterior debidamente precisado.

Como ya queda indicado este primer ensayo —*Mística y Plástica*— está constituido por varios comentarios que tienen su inspiración y convergen en la presentación del pequeño dibujo del Crucificado de San Juan de la Cruz. Por eso hemos creído útil y expresivo introducir ahora varios subtítulos encabezando los distintos aspectos o temas que se comentan. Comenzamos destacando, como hecho no debidamente señalado, la tendencia general de nuestros grandes escritores místicos a la visión plástica, a la descripción o representación viva y concreta, sobre todo al considerar los pasos o misterios a meditar. Si el escritor, como el imaginero, había de mover a devoción al lector, era natural que acudiera a los recursos correspondientes para impresionarle, visualmente, situándole ante una escena como si realmente la tuviera delante. Por otra parte su propio meditar le había llevado previamente a crearse una verdadera imaginería mental —sobre todo de la Pasión de Cristo— que iría reforzando imaginativamente en la práctica continua de su vida contemplativa. Así presentamos una serie de trozos que hacen patente nuestra tesis y descubren cómo debieron influir en todo el arte religioso y en la sensibilidad de los imagineros y pintores. En correspondencia hacemos ver la influencia que la plástica —imaginería y pintura— debió de ejercer en dichos escritores, configurando sus visiones, haciéndoles valorar las imágenes, y buscando en general toda clase de medios visuales, incluida la pintura y el grabado, para ayudar a considerar los puntos de meditación. De aquí que se llegara a crear —como hemos comentado en el trabajo posterior— *La Literatura religiosa y el Barroco*; Madrid, 1962—, el gran libro de grabados con láminas pluritemáticas en que se representaban las distintas escenas o pasos a meditar. Lo realizó, materializando un deseo de San Ignacio, el P. Jerónimo Nadal con sus *Adnotationes et Meditationes* sobre el Evangelio que se completaba con una espléndida colección de grabados en tamaño folio —*Evangelicae Historiae Imagenes*— que editó Martín Nucius y que obtuvo una entusiasta acogida. El texto del jesuita se editó a veces junto con la serie de grabados. Precisamente ha sido objeto de reimpresión en fecha reciente, con un interesante prólogo del P. Rodríguez de Ceballos —Barcelona, 1975—.

Comentamos después y aducimos textos que demuestran el interés por las imágenes y pinturas en Santa Teresa y San Juan de la Cruz y cómo influyeron en su vida espiritual. Asimismo señalamos cómo actúa directamente la santa sobre los artistas, encargando pintar o tallar algunas imágenes de acuerdo con sus visiones y precisando elementos o rasgos de la composición, hechos de los que recordamos ejemplos. Dedicamos otro apartado a considerar la formación artística del santo carmelita, su gusto y valoración de las buenas creaciones y cuál era su doctrina estética a este respecto —el *mover la voluntad a devoción*—, coincidente con la que mantuvo lo mismo en la poesía que en la música y en la predicación. Un párrafo dedicamos también a recordar cómo supo utilizar —de acuerdo con su valoración de la fuerza emocional de la imagen viva que entra por los ojos y sentidos— a los mismos religiosos, e interviniendo él personalmente, sobre todo con su palabra, en verdaderas representaciones dramáticas para evocar pasajes evangélicos, materializar alegorías de virtudes e incluso presentar escenas de martirio, para enfervorizar a los novicios. Este pasaje, ampliado con nuevos datos y atendiendo a su formación en ese sentido, lo reeditamos en artículo de revista —*Cuadernos de Teatro*, número 2. Granada, 1945—, y con nuevas adiciones lo incluimos después en nuestro libro *Poesía y Mística*. Otra parte de nuestro ensayo la dedicamos a recoger todos los testimonios referentes a la actividad propiamente artística de San Juan de la Cruz; y por último comentamos las características y significación iconográfica y expresiva de su dibujito de la imagen del Crucificado que hizo después de haber tenido una visión. Agregamos ahora como complemento en esta reedición un breve capítulo de nuestro ensayo *La Literatura religiosa y el Barroco*, en el que comentamos *Lo anticlásico y Barroco en la doctrina estética* del santo.

Hemos querido incluir en segundo lugar en este libro —como trabajo que demuestra el porqué de nuestros planteamientos expuestos— un ensayo referente al citado pintor Sánchez Cotán —procedente en lo esencial de nuestro libro inédito sobre el artista— que redactamos a reiterada petición del doctor Camón Aznar, que deseaba incluirlo como artículo en el primer número de la revista «Goya», tan acertadamente creada y dirigida por él. El título —*Realismo y religiosidad en la pintura de Sánchez Cotán*— es expresivo por sí solo de su contenido e intención. Hemos creído podía ser de interés para el lector agregarle aquí algunas anotaciones y, además, las referencias bibliográficas que en la revista no se incluyeron. Creemos que el ensayo deja, por lo menos planteado, el problema de la insuficiencia de la crítica histórica que intenta explicar una obra como la de este pintor, ateniéndose sólo a los determinantes propiamente pictóricos que representan los aspectos de escuela, influencias, técnicos e iconográficos. Todo ello cuenta, indiscutiblemente, sobre todo en la fijación de datos concretos y en lo más convencional y común de la creación artística, pero no explica plenamente la obra, incluso en sus aspectos generales de expresión de época, ideología y temática, y menos aún en cuanto a lo íntimo e individualizador del alma toda del artista. De aquí nuestro intento en este ensayo de considerar el realismo de Cotán, y especialmente sus bodegones, teniendo en cuenta en simultáneo enfoque los obligados determinantes histórico-artísticos y los espirituales y ambientales monásticos, ya que observaba a la naturaleza con ojos de pintor de su tiempo y a la vez como práctico cultivador de sus frutos y, además, con mirada trascendente de cristiano y lego cartujo. Como también tenía para él un doble sentido su quehacer como pintor, viéndolo como creación artística y como obligado trabajo manual debido a la Orden. Consideramos también su concepto del bodegón, el doble sentido que entraña y, rápidamente al final, la influencia de sus modelos y elementos en la pintura española que le sigue.

En tercer lugar, y como ensayo central del libro, incluimos el publicado en la *Revista de Ideas Estéticas* —números 82 y 83. Madrid, 1963— con el título *Barroquismo y religiosidad en el «Juicio final» de Miguel Angel*. Se trata de un trabajo en el que, ante esa creación genial, se desarrollan y ejemplifican aspectos centrales de la morfología y espíritu del Barroco y de nuestra opinión —sustentada en otros estudios y ensayos— sobre la adecuación de este estilo a toda expresión de exaltada religiosidad. Aunque para la mejor inteligencia de esos aspectos que comentamos, y en general de la concepción artística barroca, sería preferible tener presente nuestros puntos de vista, expuestos no sólo en el ensayo que abre este libro, sino también en las más extensas y generales consideraciones que se hacen en la *Introducción* y primer ensayo de nuestro libro *Temas del Barroco*, y más aun en nuestro trabajo *El Teatro y la Teatralidad del Barroco*, y muy especialmente —en cuanto al sentido de la expresión religiosa— en el artículo ya citado *La Literatura religiosa y el Barroco*, sin embargo creemos que los rasgos que se apuntan en los dos primeros trabajos y lo que en él se expone permiten situar las conclusiones de este ensayo dentro de los determinantes de morfología y espíritu que nosotros destacamos como esenciales en el dicho estilo. Porque estimamos que, en todos los sentidos, el Barroco hace su presencia plena en esta grandiosa obra de Miguel Angel. Y la razón esencial de esa violenta y decisiva creación de barroquismo consideramos se debe a que el artista genial dio expresión libre y apasionada a la inquietud religiosa de su época, y a la que le atormentaba su propia alma. Y si el pintor, no buscando la belleza al recrear con ella, sino impresionar vital y moralmente, con el aviso del terrible y decisivo acaecer de la historia de la humanidad, quiso dirigirse, no ya al individuo —para conmoverlo en lo más íntimo—, sino a la colectividad que allí había de reunirse, resulta que su obra —que se levanta inmensa ante todos— queda no ya como la viva llamada al alma que hace el escritor ascético en sus libros de meditación, sino, más aún, y esencialmente, como si estuviera gritándoles a todos en estentóreo sermón representado. Por eso al ofrecer en breve síntesis en la revista «Goya» el contenido de este ensayo titulábamos el artículo «*El "Juicio final" de Miguel Angel*, *gran sermón barroco*». El trabajo que aquí incluimos lo estructuramos en breves capítulos. Consideramos primeramente la concepción de la obra desde esa motivación religiosa, tanto a la luz de la espiritualidad de la época como en relación con la religiosidad del artista y la trayectoria de su arte. También ahondamos en esa inquietud y exaltación religiosa a través de sus escritos —como algo que no debe olvidarse al intentar comprender la personalidad del artista— y vemos seguidamente el paralelismo que ofrece el gran fresco con la meditación del Juicio final en los libros de meditación; concretamente con el famoso de fray Luis de Granada. Como segunda parte nos enfrentamos con la obra para destacar el sentido barroco de su concepción formal y de sus recursos expresivos. Así comentamos su visión de continuidad espacial que hace quede totalmente roto el muro; como si a la Capilla se le hubiera suprimido el fondo y estuviese sucediendo ante nosotros el terrible acontecimiento. Y unido a ello, y como consecuencia, destacamos su sentido expresivo desbordante comunicativo, logrado no sólo con recursos formales y lógicos, sino también irracionales, como el empleo del color de acuerdo con el efecto psico-físico de que las coloraciones calientes aproximan y las frías alejan. Por último consideramos el especial sentido religioso y la asensualidad de los desnudos en la gran composición y cómo desaparece el culto a la belleza del cuerpo humano como fin, convirtiéndolo en medio expresivo, de plena realidad de vida, con un supremo valor de grandiosos gestos; como un lenguaje de formas gigantescas a través del cual se expresa un verdadero titán con voces estentóreas que atruenan dirigiéndonos el más aleccionador sermón que puede escuchar la humanidad.

Nos hemos decidido a incluir en cuarto lugar un breve artículo que, aparentemente, podría pensarse no queda propiamente inserto en la trama de este volumen. Decimos esto por su título, «*El soldado muerto*» *de la* «*National Gallery*» *y su atribución;* esto es, el lienzo anónimo del siglo XVII de dicho título conservado en la famosa pinacoteca londinense. Lo escribimos en ocasión de un viaje a Londres, cuando —en una discutida labor de restauración— había sido objeto de limpieza el citado lienzo, permitiendo su mejor estudio, y lo publicamos después en Madrid —1949— en la revista *Arte español*, de la «Sociedad española de amigos del Arte». Si lo incluimos aquí es porque no se trata sólo de aportación

erudita; de la revisión crítica del problema de la atribución
de tan interesante obra y de su análisis desde un punto de
vista, diríamos, técnico artístico. Junto a ello comenzamos
por hacer ver que en su asunto no se trata —como se venía
diciendo— de una representación de *Orlando* ni simplemente
de *un soldado muerto*, sino de una composición de sentido de
Vanitas; por lo que señalamos los distintos elementos que
reiteran este significado ascético en torno a la impresionante
figura de un vigoroso joven muerto. Así, ponemos en relación
alguno de esos signos de desengaño con su utilización en
nuestros libros de meditación y asimismo con la temática del
cadáver en la poesía barroca española. Responde, pues, el
artículo a una temática de desengaño típica del Barroco
—y potente en lo español— en relación con la literatura ascética y con la lírica de dicho sentido, y unido con el tema
fúnebre, igualmente característica de dicho período.

El último ensayo que compone el libro es trabajo más
extenso, centrado en el tema del retrato, pero considerando
no sólo el fenómeno en sí de su importancia como verdadero
nuevo género por razones ideológicas y artístico-sociales en el
Manierismo y sobre todo en el Barroco, sino las complejidades
que por esos varios determinantes se producen en las dichas
épocas. Lo escribimos para presentar su síntesis como comunicación en el Congreso Internacional de Historia del Arte,
celebrado en Granada en septiembre de 1973. Si título respondía claramente a la intención de ser leído su resumen en
la Sección establecida para el tema, «*Lo sagrado y lo profano
en el arte español*», en la que actuábamos de vicepresidente.
Aunque en su día se editará en el tercer volumen las actas
del congreso, adelantamos hoy la publicación del texto completo, aunque ya algunos breves trozos se publicaron como
artículo en la revista «Goya» el año 1974, y seguidamente
—con adiciones— lo recogimos como ampliación en la segunda edición de nuestro libro citado *Manierismo y Barroco*.

Mantenemos aquí el título inicial del trabajo: *Lo profano
y lo divino en el retrato del Manierismo y del Barroco.* Quiero
recordar que sobre el *retrato a lo divino* publicamos hace años
un breve artículo —«Arte español». Madrid, 1942—, que después, en 1947, incluimos en nuestro libro *Temas del Barroco,*
con el título *Retratos «a lo divino». Para la interpretación de
un tema de la pintura de Zurbarán.* Nuestro intento era ofrecer
varios textos poéticos de la época barroca que demostraban

patentemente que fue moda el retratarse las damas con hábitos e insignias de santas, lo que venía a dar explicación
a las famosas figuras de santas de Zurbarán, tanto se inter-
pretasen como auténticos retratos o bien como tipos iconográficos, influidos por esos seguros retratos a lo divino
repetidos, como género de moda en esa época. Más tarde
—en 1968— volvimos sobre el tema en nuestro libro *Amor,
poesía y pintura en Carrillo de Sotomayor*, en donde publicá-
bamos, con amplio comentario, un largo y bello poema de
este gran lírico, compuesto en el arranque del siglo XVII, y
dedicado al pintor granadino Pedro de Raxis, en ocasión
de retratar a una famosa e ilustre dama de Granada en figura
del Arcángel San Gabriel. Y con ese motivo aducíamos algún
otro texto más que, junto con los que ya presentamos, venía
a ratificar documentalmente nuestra tesis de la importancia
de esta moda, aún fuera del ambiente cortesano.

El trabajo que hoy publicamos es de amplio plan e intenciones, aunque en manera alguna hemos pensado, ni de
lejos, desarrollar los varios aspectos y comentario de las
obras citadas. Ello exigiría por sí mismo más de un libro;
las obras y textos que se aducen son lo suficientemente
numerosos —y de distintas procedencias mirando también
a lo europeo— para testimoniar nuestra tesis y puntos de
vista; pero dejamos campo al lector para que pueda ampliarlo
todo por su cuenta; en algún caso con suma facilidad, como
ocurre con el retrato mitológico en Francia, sobre el que ya
existe un gran libro.

La intención, pues, de este ensayo es hacer en forma paralela unas consideraciones sobre esas complejas formas del
retrato que se producen en dichos períodos, que, como el
hecho mismo de gustar de retratarse, debió de partir de
actitudes estéticas intelectualistas y de minorías sociales selectas de nobles y alta burguesía hasta hacerse moda, y
como toda moda ir descendiendo e imponiéndose, por seguir
a la clase dominante, hasta invadir sectores sociales más modestos. La concepción del retrato mitológico lleva consigo
además asociaciones de carácter emblemático y alegórico
y de idealización de sentido heroico, de acercamiento al
mundo intemporal de la Antigüedad clásica. Como una forma
más compleja del clasicismo se ofrecen tipos que responden
a la ideología neoplatónica predominante en el Manierismo.
Lo alegórico cuenta también en el retrato a lo divino; pero

se hace predominante en el Barroco en otro tipo de retrato, que igualmente consideramos, como es el retrato moralizador, que en la expresión del sentimiento de desengaño llega a convertirse o fundirse, con más concreta resonancia humana, en el cuadro de *Vanitas*. Y, como otra forma de complejidad de lo humano y lo espiritual y divino, comentamos también las formas del retrato integrado en la composición religiosa, que supone muchas veces otra versión del retrato *a lo divino*. No dejamos de comentar en concreto los determinantes sociales que pudieron actuar en la creación y difusión de este tipo de retrato; y, asimismo, hemos querido destacar con ejemplos su presencia en la poesía española, testimoniando con ello su desarrollo e importancia en la pintura. Por último centramos la atención en la pintura andaluza para ilustrar la interpretación del tema del retrato de santas en la obra de Zurbarán y presentar el hecho en la pintura granadina, recordando obras de Juan de Sevilla y de Risueño, que por primera vez hemos dado a conocer y a establecer su atribución. Nos interesa en esas páginas finales hacer ver cómo dicho tipo de retrato, aparte la importancia que tuviera por sí mismo, ejerció iconográficamente una poderosa influencia sobre el cuadro propiamente religioso.

Como puede haber visto el lector en estas rápidas consideraciones de explicación introductoria sobre los géneros, intención y contenido de los varios trabajos que ofrecemos en este libro, hay una serie de aspectos de la temática religiosa que estructuran vertical o linealmente como una urdimbre la variada trama del libro. Junto a esto, la interrelación de lo plástico y lo literario igualmente se mantiene en todos ellos, aunque, naturalmente, con distinta importancia y matices en su función. Igualmente está presente en todos el determinante estilístico de lo Barroco en su doble aspecto morfológico e ideológico espiritual. Y todo ello dentro de nuestra concepción del Barroco, considerado tanto en su aspecto individual como colectivo histórico, como fenómeno producido por la penetración de los más varios impulsos de naturaleza y vida —y por tanto también de la inquietud religiosa— en el mundo de formas, temas y géneros de la tradición clásica renacentista. Pero nuestra orientación al enfrentarnos con los temas a estudiar no se apoya sólo en lo estético-psicológico, individual y colectivo, sino buscando también lo socio-psicológico, como un determinante que lleva consigo formas de cultura y de vida. El hecho que mantenemos y razonamos en otros trabajos asimismo, y que procuramos hacerlo patente, es la adecuación de la expresión de religiosidad en el estilo Barroco, precisamente porque se trata de la expresión de algo profundo de lo vital y espiritual. La importancia de nuestros escritores místicos, cuya lectura y espiritualidad se extendió potente aún fuera de España desde el siglo XVI, influyendo hasta en las zonas europeas protestantes, puede explicarnos —por esa penetración en el pensamiento y en la vida— por qué en el arranque y extremosidad de la literatura en el barroco europeo, incluso en las creaciones italianas, puede contar, como un determinante o raíz, esa influencia de la espiritualidad española que se había producido con anterioridad. Es cuestión ésta que hemos comentado como conclusión en nuestro estudio *La Literatura religiosa y el Barroco*. Y, desde este punto de vista, comprendemos también y apoyamos en buena parte la tesis de Hatzfeld, cuando presentaba el barroco literario europeo como un fenómeno determinado por la general influencia española.

Publicado en el Boletín de la Universidad de Granada. *Año XI. Números 55-56. Granada, 1939.*

Se mantiene el texto sin retoques, pero con adiciones en las notas y agregándole un breve capítulo final procedente —con variantes— de nuestro trabajo La Literatura religiosa y el Barroco.

TENDENCIA A LA VISION PLASTICA EN LOS ESCRITORES MISTICOS. LA DESCRIPCION REALISTA *

Varias veces se ha hablado de la humanidad y realismo de nuestra literatura mística, de su relación con la plástica de la Edad de Oro y del influjo que sobre ella ejerció; pero no se ha fijado la atención en un hecho, tan patente como los anteriores, ya que se trata de un fenómeno casi constante, cual es la tendencia a la visión plástica, a la representación viva y concreta, que se da en todos los grandes místicos españoles.

* Las presentes notas no aspiran más que a exponer en torno al dibujo del Crucificado de San Juan de la Cruz, no desconocido, pero sí olvidado, unos ligeros comentarios en los que se apuntan algunos aspectos aún no debidamente apreciados de las relaciones entre los escritos de nuestros místicos y el arte religioso de la época. [Como decimos en el prólogo de este libro, mantenemos sin retoques ni ampliaciones el texto de este ensayo tal como se publicó en el *Boletín de la Universidad de Granada* en 1939; pero le ofrecemos hoy intercalándole epígrafes a cada una de las partes, introduciéndole adiciones en estas notas, y añadiéndole un apartado o breve capítulo final sobre la estética del santo poeta y artista, texto éste —con algunas adiciones— procedente de un trabajo nuestro posterior, *la Literatura religiosa y el Barroco. En torno al estilo de nuestros escritores místicos y ascéticos*, publicado en la *Revista de la Universidad de Madrid*, —Madrid, 1962. Vol. XI. Núms. 42-43, págs. 411-477— y reimpreso con adiciones en nuestro libro *Manierismo y Barroco* —Salamanca, 1970— y con alguna otra ampliación en la segunda edición del mismo —Madrid, 1975—. Este último trabajo desarrolla con cierta amplitud varios de los temas apuntados en este breve ensayo que hoy reeditamos. Otros aspectos más generales del contenido del mismo los consideramos antes en la *Introducción* —bajo el título *De lo aparente a lo profundo*— del libro *Temas del Barroco* —Granada, 1947—, y en el ensayo próximo en fecha a éste, *Lección permanente del Barroco español* —Madrid, 1952; 2.ª ed., 1956—, incluido con ampliaciones en el citado

Ello se acusa gradualmente conforme nos elevamos en la escala de lo espiritual: San Ignacio, y, sobre todo, San Juan de la Cruz y Santa Teresa, se nos ofrecen así como la más clara confirmación de esta tendencia. La experiencia, la visión sobrenatural viene a reforzar además en estos casos ese deseo de concretar y vigorizar la imagen añadiendo al mismo tiempo la originalidad del objeto o tema que describen. Si bien se piensa no es más que el trasplante a una región superior del acto que se verifica en la mente del artista. Si éste concibe su obra partiendo de los elementos que le proporciona su imaginación, el santo cuenta con una concepción muy superior, ya que pertenece a la esfera de lo sobrenatural e inaccesible; pero además percibido con una integridad y fuerza que no es posible equiparar con la representación puramente mental del artista.

Es un fenómeno natural que el místico, como el pintor o el escultor, sienta el deseo de comunicar a los demás por medio de una representación verbal aquella imagen que él ha tenido ante sus ojos, ya sea por afán de expresar su propia experiencia mística, ya por el poder edificante que puede tener para la vida espiritual de los demás. De aquí que en muchos casos ese afán por describir, por apresar con la palabra una visión que corresponde íntegramente al mundo de lo visual, haga al escritor presentar verdaderos cuadros e imágenes, que, además necesariamente, al recibir forma se someten en

---

libro *Manierismo y Barroco*, y nuevamente adicionado en la 2.ª edic. del mismo. En cuanto al apartado de este ensayo que titulamos *Utilización de medios teatrales en la vida espiritual*, lo reeditamos en 1945, con alguna adición y con el título *Poesía dramática en San Juan de la Cruz*, en la revista *Cuadernos de Teatro*, n.º 2 —Granada, 1945—, y nuevamente adicionado lo incluimos también en nuestro libro *Poesía y Mística. Introducción a la Lírica de San Juan de la Cruz*, Madrid, 1959. Esta obra ofrece, aunque centrada totalmente en la vertiente literaria, el complemento y desarrollo de este breve ensayo en todo lo referente a la valoración y situación de la figura y la obra del santo dentro de la tradición poética de su propio marco y ambiente espiritual. Se nos perdonará esta reiterada referencia a nuestros trabajos, pero nos resulta inevitable dada la necesaria interrelación en que quedan todos ellos dentro de nuestro campo de investigación y estudio. En otras notas se harán referencias a trabajos ajenos relacionados con el tema de este ensayo que, además, ya quedaron mencionados en el prólogo.]

parte al influjo del arte religioso que el autor tiene a su alrededor. Como además es común a casi todos los escritores místicos el gusto por la contemplación y observación de la naturaleza, como un camino más para alcanzar la perfección y belleza de la divinidad, esas descripciones reciben con ello un sentido vigoroso de realidad y precisión coincidiendo en cierto modo con la preparación del artista, cuyo aprendizaje ha partido también de una observación del mundo real.

El P. Crisógono de Jesús al hablar de las descripciones de Santa Teresa hace observar cómo «parece que la pluma de la escritora saca al mundo real lo que describe, y lo pone ante nuestros ojos, con el bulto y color que en realidad tenía»[1].

Pero aún se refuerza más esta tendencia a la representación plástica en las obras de meditación. La intención del místico es también, como la del imaginero, mover a devoción, y así tiene que recurrir como éste a la acentuación de lo expresivo y de lo impresionante, sobre todo cuando se trata del tema central de la meditación que es también el nervio de nuestra imaginería: los pasajes de la Pasión de Cristo. Bastaría recordar los escritos de San Pedro Alcántara, de fray Luis de Granada, de fray Francisco de Osuna y de fray Antonio Molina. El realismo de la imagen llega en algunos casos a extremos sólo equiparables a lo más intenso y dramático de la imaginería castellana. Es la emoción de la tragedia del Calvario cual sólo se llegó a sentir en España, y si nuestras imágenes de Pasión son las más expresivas como imágenes del dolor de toda la iconografía del Renacimiento y del Barroco, estas descripciones de nuestros místicos son también las más impresionantes y de mayor fuerza plástica de toda la mística europea.

Fray Francisco de Osuna fue precisamente, como dice Pfandl, el que da lugar, «por su solidez cordial, profundidad de sentimientos e impresionante realismo descriptivo, a una escuela de meditación extraordinariamente eficaz y popular»[2].

1. P. CRISÓGONO DE JESÚS, *Santa Teresa de Jesús* —Barcelona, 1936—. 2.ª parte. Cap. XII.
2. LUWIG PFANDL: *Historia de la Literatura nacional española en la Edad de*

Sus descripciones de los dolores del Calvario son conmove-
doras e impresionantes por su realismo, en tal forma que un
pasaje del Tratado XXI (cap. VIII) del Primer Abecedario
Espiritual fue mandado borrar por uno de los índices inqui-
sitoriales del siglo XVII a causa de la manera tan realista
como había pintado los dolores de la Virgen.

Con no menos fuerza nos describe también San Pedro
Alcántara en la Meditación del sábado (cap. IV) de su Libro
de Oración y Meditación el llanto de la Madre de Dios al
tener en sus brazos al Hijo muerto; todo es en ella sangre y
lágrimas, dolor desgarrado completamente humano, sin
consuelo ni contención alguna, como en las representaciones
escultóricas que hacia la misma fecha tallaba Juan de Juni.
No menos intensa es la descripción del espolio de Cristo en
la Meditación del viernes.

Estas descripciones, verdadera imaginería de Pasión, muy
eficaces las considerarían nuestros místicos para la vida espiritual cuando fray Luis de Granada recoge todos estos
pasajes de San Pedro Alcántara y hasta los amplía, con su
prolijidad y emoción oratoria características, en su Libro
de la Oración y Meditación[3].

Son descripciones que suscitan la representación inmediata del pasaje, o del paso, como decían nuestros escritores
del XVI y del XVII, con detalles de observación de actitudes
y posiciones que demuestran verdadero sentido de composición, enlace y movimiento de las figuras. Así vemos en las
citadas descripciones cómo la Madre tiene al Hijo en sus brazos y «apretándole fuertemente en sus pechos, mete su cara
entre las espinas de la sagrada cabeza, júntase rostro con

Oro. Barcelona, 1936. [Sobre la meditación realista en los escritores franciscanos
véase nuestro trabajo citado, *La Literatura religiosa...*]

3.   Creemos secundario para el fin de estas notas el hecho tan discutido de
que no fuera fray Luis sino San Pedro Alcántara el que copió. [Dentro de la
amplia bibliografía existente sobre el tema creemos se resuelve todo con claras
conclusiones en el estudio del P. Alvaro Huerga, *Génesis y autenticidad del
«Libro de la Oración y Meditación».* Rev. de Arch. Bibliotecas y Museos —Madrid,
1953—. No hay duda de la originalidad de fray Luis. El santo franciscano realizó el compendio con fines devocionales, sin preocupaciones propiamente
literarias.]

rostro, tíñese la cara de la Santísima Madre con la sangre del Hijo y riégase la del Hijo, con las lágrimas de la Madre»[4]. El grupo de la Virgen de las Angustias, el paso de Semana Santa surge ante el lector con toda la fuerza dramática del sentimiento castellano.

En los escritores místicos del siglo XVII, lo mismo que la estatuaria se hace entonces más realista y amante de lo anecdótico, estas descripciones de la Pasión, estos pasos, se recargan con verdadero sentido barroco en todo lo que sean detalles vivos e impresionantes de la visión dolorosa. El padre cartujo fray Antonio Molina, en sus *Ejercicios Espirituales*, en los que cita al padre Granada y a San Pedro Alcántara, recoge y hasta copia a ratos estos mismos pasajes de la Pasión de Cristo, pero recargando y acentuando lo realista y al mismo tiempo la visión plástica llena de dolor y emoción. Así este mismo paso de las angustias de María no se amplía como en fray Luis, dando cabida al párrafo oratorio y a la evocación de la perdida hermosura y alegría del pasado, sino que se recrea, como un buen observador, en la descripción detallada del cadáver de Cristo. Insiste en la consideración de lo que sentiría la Madre «cuando viese el Sagrado Cuerpo denegrido de golpes y cardenales, desollado y todo cubierto de llagas. Cuando viese las manos y pies tan desgarrados, con tan grandes agujeros; tentase los huesos, y los hallase todos descoyuntados y fuera de sus lugares, especialmente el hombro izquierdo; cuando le viese todo molido con el gran peso de la Cruz; la cabeza taladrada, y llena de llagas de las espinas, y sacase algunas, que se habían quedado quebradas; el rostro lleno de salivas, y sangre seca y cuajada, la garganta desollada de la soga; y finalmente,

4. FRAY LUIS DE GRANADA: *Libro de la Oración y Meditación*. Cap. XXV. *III Meditación. Segunda del Descendimiento de la Cruz y llanto de la Virgen.* Igual en San Pedro Alcántara: *Libro de Oración y Meditación.* Cap. IV. *De las otras siete Meditaciones de la Sagrada Pasión y de la manera que habemos de tener en meditarla. El Sábado.* [Todo esto se desarrolla en nuestro artículo *Cómo sintieron y pintaron nuestros escritores ascéticos los dolores de María* —periódico *Patria*—. Granada, 1940, y, sobre todo, en el trabajo antes citado.]

todo El tan maltratado que solamente lastimara el corazón
de quien no le conociera» [5].

¿Quién no ve en este trozo el mismo sentido, la misma
emoción del dolor que en las esculturas de Gregorio Fernández? Si el escritor cartujo hubiese sido escultor, sólo con
trasladar al madero este paso que nos describe hubiera
tallado un Cristo yacente como el impresionante del Pardo
del escultor castellano. Totalmente compuesto, cual una tabla
de primitivo español, es la representación que hace del paso
de los azotes. «Pondera lo tercero, dice, cómo así desnudo
le atan a un poste de aquel patio, apretándole fuertemente con
cordeles las muñecas, hasta hacerle reventar la sangre, y
con otra atadura a los pies. Mírale bien, cómo está abrazado
con aquella piedra fría, pegados en ella sus pechos y el rostro,
sintiendo gran tormento del frío, así de la columna como del
aire, que penetraba el delicado cuerpo desnudo. Considérale
cómo tiene el rostro demudado y amarillo, por el temor
natural del tormento, y por ver los verdugos orgullosos, y
diligentes en aparejar los instrumentos, con que le habían
de azotar» [6].

Hasta en los escritores conceptistas, al reducirse a esquema,
a simple pincelada, la descripción del paso de la Pasión, lo
que queda es un rasgo plástico e impresionante que clava
en los sentidos el cuadro trágico de dolor. Así Gracián nos
pinta a Cristo «al pie de la columna, caído, revolcándose en
la balsa de su sangre» [7]. Bastan estas contadas palabras para
que la imagen haga olvidar la lectura. Y es que precisamente

5. *Ejercicios Espirituales. De las excelencias, provecho y necesidad de la Oración mental reducidos a Doctrina y Meditaciones...*, por el P. D. Antonio de Molina,
monje de la Cartuja de Miraflores... Barcelona, 1776 (la primera edición,
según Nicolás Antonio apareció en 1613). Segunda parte. Tratado III. pág. 573.

6. Ibid, pág. 529 [Este vivo realismo lo refuerza en los párrafos que siguen
con otras consideraciones y llamadas al alma, en un desbordamiento expresivo
propio del Barroco].

7. P. Baltasar Gracián: *Meditaciones para antes y después de la Comunión.*
Meditación XLI. Punto Tercero. [Una más completa visión de la trayectoria de
este tema a través de los libros de meditación y el análisis de la intensificación del
realismo descriptivo y desbordamiento expresivo, de emoción comunicativa, se

ése era su objeto: no la fría lectura, sino despertar en el lector la presencia de un determinado cuadro o ambiente, algo que en propiedad sólo corresponde, y así lo había sido durante toda la Edad Media, a la escultura y a la pintura.

Esta tendencia no es sólo exclusiva de determinados autores, sino que es común a dominicos, jesuitas, carmelitas y cartujos. No es más que la guía para uno de los primeros pasos de la meditación que exige un esfuerzo imaginativo grande del monje, ya que necesita de cierta madurez intelectual para conseguir esta representación mental de la imagen. Santa Teresa se lamentaba en sus primeros años de religiosa de la «poca habilidad para con el entendimiento representar cosas»[8]. Todo su afán será llegar a sentir la presencia real de la humanidad de Cristo.

También el cartujo Molina recomienda al buen cristiano «la presencia imaginaria... formar el alma con su imaginación una figura o imagen de Cristo Nuestro Señor... y conservando por todo el día la imagen, que pusiere por la mañana, acostumbrarse a tratar familiarmente con Cristo Nuestro Señor como si le trajese a su lado, o anduviese en su compañía»[9].

Así, en sus meditaciones, el místico llega en cierto modo a crearse una verdadera imaginería, en particular de la Pasión de Cristo, que le sirve, con su presencia mental, de estímulo constante en sus oraciones y meditaciones y que gradualmente va adquiriendo rasgos más concretos y precisos.

Una de las más claras muestras de esta tendencia nos la ofrecen los Ejercicios Espirituales de San Ignacio. Aunque más que un libro de meditación sean un reglamento de la vida espiritual, sin embargo, la base de toda su doctrina es también la representación objetiva de un determinado ambiente. Así, en el Coloquio del primer Ejercicio insiste en cómo hay que imaginarse a Cristo «delante y puesto en Cruz», y así,

---

expone en nuestro trabajo ya citado *La Literatura religiosa...* También en él se hacen referencias al tema del Cristo caído tras la flagelación, en la pintura y en la imaginería.]

8. *Vida.* Cap. IX.

9. *Ob. cit.* Tratado primero *De la Doctrina para la Oración.* Ed. cit., pág. 89.

«viéndole tal, y así colgado de una Cruz, discurrir por lo que se requiere». Es sencillamente la representación plástica, la imagen que directamente ha de obrar sobre los sentidos hasta llegar a una auténtica presencia, perdiéndose la idea de lectura o visión abstracta.

De tendencia análoga a las normas ignacianas son las recomendaciones del Beato Avila acerca de la forma de meditar sobre los pasos de la Pasión de Cristo. Hay que representarse la figura de Cristo sintiéndola presente. «Hacer cuenta, dice en el capítulo LXXIII de su tratado de *Audi, filia*, que la tenéis allí cerquita de vos; y digo esto así, por avisaros que no habéis de ir con el pensamiento a contemplar al Señor a Jerusalén donde esto ocurrió, porque esto daña mucho a la cabeza, y seca la devoción, mas haced cuenta que lo tenéis allí presente, y poned los ojos de vuestra ánima en los pies del, o en el suelo cercano a El, y con toda reverencia mirad lo que entonces pasaba, como si a ello presente estuviérades».

El crítico Papini ha llegado a percibir en el caso de los Ejercicios ignacianos cómo la obra del santo de Loyola es la de un auténtico imaginero [10]. «Esta tarea, dice, de presentar visiblemente ante los ojos corporales —vehículos de la visión interior— las escenas de la Redención, se había confiado en la Edad Media a la pintura mural de las iglesias, a la escultura de las catedrales». Y San Ignacio lo que hizo fue sustituir «las pinturas materiales y perecederas de los muros por las pinturas, siempre nuevas y eternamente evocables, de la fantasía ayudada por la voluntad». Papini encuentra una explicación a esta tendencia en el contraste entre la imagen auténticamente religiosa y lo mundanal y hasta pagano de la plástica renacentista. «En tiempo de San Ignacio, dice, el arte comenzaba ya a corromperse, continuaba, sí, representando asuntos cristianos, pero con espíritu pagano, cuidando más de la belleza material de las formas que de la fidelidad inteligible y de la expresión espiritual». Sugestio-

---

10. Giovanni Papini: *Los operarios de la viña*. Madrid, 1933. Vid. *San Ignacio de Loyola*.

nado el citado autor por el ambiente de la Italia renacentista, olvida que precisamente en España, al mismo tiempo que la reacción espiritual de San Ignacio, se verifica la de los ima- gineros, quienes frente a las bellezas y sensualidades de lo italianizante buscan con todo su fervor religioso no la pura belleza y perfección técnica, sino precisamente esa «fidelidad inteligible» y esa «expresión espiritual» que brillan en los escritos de los místicos de la época [11].

LA IMAGEN Y EL CUADRO EN LA VIDA DEL MISTICO: LA ACTITUD DE SANTA TERESA Y DE SAN JUAN DE LA CRUZ

La aspiración de místicos y escultores era una misma y si éstos caldeaban su inspiración en los libros y en el ambiente que los primeros creaban, también las imágenes que salían de sus gubias hacían sentir, y bien hondo, avivándolos en su vida espiritual, a nuestros ascetas y místicos. Santa Teresa,

---

11. [En nuestro citado trabajo destacamos el porqué, junto a la doctrina igna- ciana y su técnica de *composición de lugar*, se dio en el santo, en sus prácticas y en su intención, la utilización de la imagen como el mejor medio de concen- trarse en los puntos a meditar. Sabemos por el P. Bartolomé Ricci, que siempre que iba a meditar de estos misterios de Cristo Nuestro Señor, miraba poco antes de la oración las imágenes que para este objeto tenía colgadas y expuestas cerca de su aposento. Recogió esta cita el P. Nicolau, S. J., en su libro *Jerónimo Nadal. Obras y doctrinas espirituales* —Madrid, 1949—. Este P. Nadal fue precisamente el que realizó la aspiración de San Ignacio, que sabemos expresó el deseo de que alguien propusiera puntos para la meditación de los escolares de la Com- pañía y que los ilustrara con imágenes yuxtapuestas y comentarios. Así bajo la orientación del mismo se realizó —para ser utilizado siguiendo su obra *Adnotationes et Meditationes in Evangelia*— la edición de un gran libro —impreso por primera vez en 1593 por Martín Nucius—, *Evangelicae Historiae Imagines*, con grandes láminas, tamaño folio, con composiciones pluritemáticas, al pie de las cuales quedan señaladas con letras los distintos puntos a meditar en torno a cada una de las correspondientes escenas representadas. El éxito de la obra fue completo, demostrándonos con ello cómo se divulgó la técnica de meditación estimulada por la imagen. En el prólogo estudio —*Las «Imágenes de la Historia Evangélica» del P. Jerónimo Nadal en el marco del jesuitismo y la contrarreforma*— que el P. Rodríguez de Ceballos ha puesto a la reimpresión de dicho libro —Barcelona, 1975— vemos cómo el primer intento de realizar

en sus plásticas y realistas visiones en las que lo concreto y tangible, lo perceptible por los sentidos, es siempre fundamental, se le interpone a veces al expresarla el recuerdo de la imaginería. En uno de aquellos días en que constantemente sentía la presencia de Cristo, a la hora de maitines, dice la santa que «el mismo Señor, por visión intelectual, tan grande que casi parecía imaginaria, se me puso en los brazos a manera de como se pinta la Quinta Angustia»[12]. ¡Cuánto le ayudarían las imágenes de Cristo en su vida espiritual!

El mismo San Juan de la Cruz, como la santa de Avila, era consciente de la fuerte influencia que la imagen puede tener en la vida espiritual para mover a devoción. Así, aunque para él «a la persona devota de veras en lo invisible principalmente pone su devoción, y pocas imágenes ha menester», sin embargo reconoce «que es bueno gustar de tener aquellas imágenes que ayudan al alma a más devoción», y añade «por lo cual siempre se ha de escoger la que más mueve»[13]. Hay, pues, en su concepto de la imagen la misma tendencia de la escultura española, más atenta a hacer sentir que a recrear con perfecciones y primores de técnica. Ante una de estas impresionantes imágenes castellanas sintió Santa Teresa avivarse su devoción, dando principio a su verdadera vida de santidad. «Era un Cristo muy llagado, y tan devoto que, en mirándola, toda me turbó de verle tal, porque representaba bien lo que pasó por nosotros»[14]. Por eso la santa, cuando nos relata este momento de su vida, no puede contenerse y prorrumpe en elogios de las imágenes. Se extraña

---

el propósito de San Ignacio lo tuvo San Francisco de Borja en 1562. Recomendaba en sus *Meditaciones para todas las dominicas y ferias del año...* «Para hallar mayor facilidad en la meditación se pone una imagen que represente el misterio evangélico, y así antes de comenzar la meditación, mirará la imagen y particularmente advertirá lo que en ella hay que advertir, para considerarlo en la meditación mejor y para sacar mayor provecho de ella; porque el oficio que hace la imagen es como dar guisado al manjar que se ha de comer, de manera que no queda sino comerlo...». *Ob. cit.*, pág. 9, a. Este estudio se publicó antes —1974— en la revista *Traza y Baza*, n.º 5.]

12. *Relaciones espirituales*. Relación LVIII.
13. *Subida del Monte Carmelo*. Libro III. Cap. XXXV.
14. *Vida*. Cap. IX.

y hasta se compadece de las personas que no gustan de ellas. «¡Desventurados de los que por su culpa pierden este bien!», nos dice, «bien parece que no aman al Señor, porque si le amaran holgáranse de ver su retrato, como acá aun da contento ver el de quien se quiere bien». ¡Como que la principal ayuda que ella tenía para representarse al Amado en esos primeros y difíciles días de su vida de santa era el contemplar las representaciones de Cristo! A pesar de eso «por más que leía su hermosura y veía imágenes» la santa se sentía «como quien está ciego o a oscuras», «... a esta causa era tan amiga de imágenes» [15].

El P. Molina, tan admirador de la santa, también coloca entre las cosas «que de suyo son buenas y provechosas, el ver imágenes devotas».

Que este gusto por la imagen como guía eficaz para la meditación no era cosa exclusiva de carmelitas lo comprueba, a más de la afirmación citada del P. Molina, las palabras del B. Juan de Avila en el capítulo LXXV de su tratado de *Audi, filia*, al señalar las ventajas y peligros de fijar fuertemente en la imaginación la figura de Cristo. Esta representación se ha de hacer «poco a poco» y «sin trabajo», y para ello, dice, «podéis tener algunas devotas imágenes bien proporcionadas de los pasos de la Pasión, en las cuales, mirando algunas veces, os sea alivio, para que sin mucha pena las podáis vos sola imaginar». Ya antes, en el capítulo LXXIII del mismo libro elogiaba el valor de la imagen como medio para adelantar en la vida espiritual. Según él «nuestra Madre la Iglesia, y con mucha razón nos propone imágenes del cuerpo del Señor, para que despertados por ellas, nos acordemos de su corporal presencia, y se nos comunique algo, mediante la imagen, de lo mucho que se nos comunicara con la presencia... y aunque os parezca cosas bajas —añade— mas por ser medio para cosas altas, altas os deben parecer». No creemos pueda extrañar, después de leer estos párrafos, que nuestros escritores místicos llevaran a sus descripciones el mismo sentido

15.   Ibid. Ibid.

realista e impresionante que alienta en nuestra escultura policromada.

San Juan de la Cruz en el pobre y pequeño conventito de Duruelo, con toda la desnudez y pobreza, no cuida más que de aquel ornato que mueve a devoción; cruces y calaveras; pero sobre la pila del agua bendita coloca una imagen del Crucificado, dibujada en papel y pegada en una tosca cruz de madera, obra con seguridad todo ello del mismo santo. Y a juzgar por las palabras de Santa Teresa estaba hecha con ese mismo sentido de lo impresionante, para hacer llorar y al mismo tiempo dar fuerza en la dura vida de la regla. «Nunca se me olvida —dice— una cruz pequeña de palo, que tenía para el agua bendita, que tenía en ella pegada una imagen de papel con un Cristo, que parece ponía más devoción que si fuera de cosa muy bien labrada»[16].

Las imágenes son estímulo constante para el santo carmelita en su vida religiosa; ante ellas sentía despertarse el dolor o la alegría, arrastrándole a veces hasta el éxtasis y el delirio amoroso. Fray José de Jesús María destaca precisamente «lo mucho que se enternecía con cualquiera imagen de Cristo que representase su Pasión»[17]. Entre los muchos ejemplos que, dice, podrían recordarse, cita un relato de las monjas de Segovia. Contaban éstas que «entrando una vez en este convento a confesar a una enferma, llegando a donde había una imagen de Cristo Nuestro Señor que estaba como racimo en el lagar, pareció que aquella memoria le había traspasado el alma con saetas de amor y compasión. Porque se le encendió tanto el rostro y se le mudó el semblante de manera que parecía que iba a arrobar, y se echaba de ver la mucha fuerza que hacía para resistir a la que sentía interiormente»[18]. Y lo mismo que le movía al dolor la imagen de Cristo ensangrentado, en Navidad, la representación de Jesús Niño le hacía prorrumpir en manifestaciones de gozo. Una

16. *Libro de las Fundaciones.* Cap. XIV.
17. *Vida de San Juan de la Cruz,* por fray José de Jesús María C. D. Tercera edición. Burgos, 1937. Lib. III. Cap. VII.
18. Ibid. Ibid.

Navidad, cuenta el P. Jerónimo de San José, era tal su alegría que no pudiendo reprimirla «se levantó de donde estaba sentado, y se fue hacia una mesa donde en estos días se acostumbraba a tener un Niño Jesús, a quien dirigir todas las alegrías de aquel tiempo, y tomándole en sus brazos, comenzó a bailar con un fervor tan grande que parecía haber salido de sí, que para la modestia y sosiego del Varón Santo era cosa muy extraña» [19].

Fácilmente es de suponer que este influjo de la imagen en la vida espiritual del místico había de venir a reforzar la tendencia a la descripción plástica e impresionante en sus escritos. Así, comprendiendo por propia experiencia lo que puede mover a devoción una imagen es claro que como directores espirituales deseen influir en muchos casos en la realización de aquélla. Si además ha gozado de la visión sobrenatural, ésta queda grabada en su mente con una intensidad más fuerte que la que la voluntad puede crear en la meditación. En este caso, el deseo de comunicarla a los demás, como el artista que ha concebido una imagen, les lleva a acentuar esta influencia sobre el pintor o el escultor en forma aún

---

19. *Historia del Venerable P. fray Juan de la Cruz...*, por fray Jerónimo de San José. Madrid, 1641. Libro IV. Cap. XI, págs. 428-429. [El testimonio recordado por el P. Eulogio de la Virgen del Carmen —*San Juan de la Cruz y sus escritos*. Madrid, 1969, pág. 251— precisa más sobre el hecho y lugar y obliga —con toda lógica— a desechar la creencia de las carmelitas de Granada que consideran sea dicha imagen una talla granadina conservada en dicho convento y a nuestro juicio sin duda de la primera mitad del siglo XVII. El testimonio en cuestión es el de la discípula del santo y gran escritora M. María de la Cruz que recuerda lo sucedido, en fecha no anterior a 1585: «Se acuerda —declara la religiosa— que en una fiesta de Navidad mostrándole un Niño Jesús dormido sobre una calavera muy lindo, dijo: «Señor, si amores me han de matar —agora tienen lugar—». Y esto dijo estando en el Convento de Granada, oyéndole las monjas, donde esta testigo era novicia». Se refieren ambos a la letrilla profana vuelta a lo divino: «Mi dulce y tierno Jesús / si amores me han de matar / agora tienen lugar». En cuanto a la bibliografía sobre este cantar véase además de lo que ahí se aduce —José M.ª de Cosío: *Poesía Española*, y Dámaso Alonso: *La poesía de San Juan de la Cruz*, y una referencia interesante al contemporáneo del santo, Eugenio de Salazar, que acredita lo difundido de la cancioncilla—, las indicaciones que ofrece José M.ª Alín —aunque no habla de San Juan de la Cruz— en *El Cancionero español de tipo tradicional*. Madrid, 1968, n.º 58, páginas 141 y siguientes.]

más directa. El santo guiará al artista dándole el tipo o la composición y en algún caso llegará incluso a trasladar él mismo al lienzo o al madero la imagen de la divinidad tal como se le apareció en sus visiones o como llegó a forjarla en su excitación. El valor de lo visual para la vida del religioso es prueba de que fue bien comprendido por San Juan de la Cruz cuando incluso intentó sintetizar gráficamente toda su doctrina mística en un pequeño dibujo representando el Monte de la Perfección. Buena confirmación es ésta de esa tendencia a la plástica; hasta lo abstracto y metafísico se reduce a formas de la naturaleza, de esa naturaleza tan amada por nuestros místicos.

Santa Teresa con mucha frecuencia hizo pintar o esculpir imágenes conforme a las visiones que había tenido; en algún caso hasta llegó a diseñar ella misma la composición. Así la santa fue la verdadera creadora de un tipo iconográfico de San José de los más característicos de la estatuaria española del barroco; el que lo representa de pie, como en marcha, llevando el Niño Jesús a su lado[20].

Son varias las obras que se conocen, en particular de pintura, que encargó y dirigió Santa Teresa respondiendo a alguna de las visiones de Cristo que había tenido. Todas ellas representan algún momento de la Pasión, sobre todo imágenes de dolor. Así, mandó pintar un Resucitado con una banderola en la mano[21]; un Ecce-Homo, tabla de cierto interés que perteneció al primitivo retablo del convento de Valladolid, y que fue pintado teniendo presente un diseño de la santa; un Cristo a la columna, en la portería del convento de la Encarnación de Avila, y otro en recuerdo de la misma visión, en la ermita del Santo Cristo de allí mismo[22].

20. Un pequeño grabado puede verse en «*Homenaje literario a la gloriosa Doctora Santa Teresa de Jesús en el tercer centenario de su beatificación*». Madrid, 1914. [Este tema iconográfico se hizo muy frecuente también en la pintura toledana de fines del siglo XVI y comienzos del siguiente. En cuanto a imágenes sólo conocemos una extranjera de fecha anterior a la posible influencia de la santa. La escultura granadina la prodigó en abundancia.]

21. También reproducido en el citado libro.

22. Se reproducen ambos en la obra de fray Gabriel de Jesús: *Vida Gráfica de Santa Teresa de Jesús*. Madrid, 1929, 30, 33 y 35. Figuras números 468 y 1.118.

Sobre la realización de este último conocemos, felizmente, datos de cierto interés que recoge el P. Gabriel de Jesús en su vida de la santa[23]. Tuvo esta visión Santa Teresa en los primeros tiempos, cuando estaba en el convento de la Encarnación, en época en que aún no estaba totalmente desligada de la vida del mundo. Ella solamente nos dice que se le representó «Cristo delante con mucho rigor». Pero las referencias de la madre Pinel y del P. Yepes concretan más sobre ello. El último nos cuenta que «se le mostró Nuestro Señor, muy llagado y particularmente en un brazo junto al codo desgarrado un pedazo de carne»[24]. Fue más tarde, siendo ya priora del mismo convento, cuando hizo pintar en la portería (la visión fue en el locutorio) y en la ermita del Santo Cristo aquella visión de Jesús atado a la columna. En una de las detalladas informaciones acerca de la santa que escribió su sobrina la monja americana Teresita, se nos dice que mandó pintar esta visión «cuando hizo este monasterio de San José, en una pared, haciendo en aquel sitio una forma de ermita pobre»[25]. Añade esta monja que el pintor que la hizo no pudo después

23. Ibid. Tomo IV. Cap. VII.
24. FRAY DIEGO DE YEPES: *Vida de Santa Teresa de Jesús.* Madrid, 1615.
25. *Ob. cit.* [en la nota 22]. Tomo IV. Cap. VII. [Sobre la realización de la pintura de la Ermita de Cristo a la Columna del Convento de San José, y de lo que representó para la Santa su contemplación en su vida espiritual, conviene añadir otros testimonios de declaraciones de la época recogidos en el Tomo segundo de la Biblioteca Mística carmelitana y por los PP. Efrén de la Madre de Dios y Otger Steggink en su importante libro: *Tiempo y vida de Santa Teresa* —Madrid, 1968, págs. 191 y sig.—. Se completaba la pintura del Cristo con otra de las lágrimas de San Pedro, también hecha al fresco, realizada enfrente de aquélla, hecha por el mismo pintor de la ciudad Jerónimo de Avila. Según refiere Isabel de Santo Domingo, la hizo *pintar la Santa Madre, después de muchas horas de oración industriando a un muy buen pintor como lo había de pintar y de qué manera disponer las ataduras, las llagas, el rostro, los cabellos, especialmente un rasgón en el brazo izquierdo, junto al codo...* Y precisa a continuación: «Tratando de cuán devota estaba la pintura, dijo la Madre: Yo le digo, hija, que se pintó con hartas oraciones y que el Señor me puso gran deseo de que se acertase a pintar esta figura. Bendito Él sea, que ansí quiso ponerse por nosotros. Yo me consuelo de que tengan este regalo en esta casa». También se recoge en el citado libro la referencia del contemporáneo don Juan Carrillo quien dice de ella que era «de gran perfección y hermosura, que causaba extraordinario sentimiento». Alude también al San Pedro llorando y

repetir esta pintura, contestando cuando se lo pedían «que pintura de más arte que él la sacaría; pero que el espíritu que ésta tenía él no se lo podía poner». La santa fue dirigiendo al pintor desde la primera línea hasta la última pincelada. Así, añade la citada monja, que «todo El ha sido milagroso, yendo la santa madre, cuando él lo pintó, diciendo lo que había de hacer. Y estaba pidiendo a Dios que saliese ansí». Y terminando la pintura cuando la santa le decía «cómo había de hacer un rasgón de carne en el brazo, en dicha pintura, él no lo podía entender, y puesto el pincel en aquella posición, volvió a mirarla para que de nuevo le enseñase el cómo. Y cuando volvió de nuevo a usar el pincel, halló un rasgón hecho sin saber cómo».

Basta, con sólo este ejemplo, para comprobar cómo Santa Teresa en el deseo de llevar al lienzo sus visiones, hacía algo más que encargarlo a un pintor. No sólo le da el tema, la composición y movimiento de la figura, sino que hasta el más pequeño pormenor; se ve claramente, por lo dicho, que la santa iba indicándole al pintor con sus palabras y gestos, parándose éste a observar las explicaciones de ella, hasta que comprendía *el cómo* había de hacer cada cosa. Y hasta en ese último detalle de la herida del brazo hace suscitar la interrogación de si no fue ella misma la que lo hizo. Se da, pues, en ella una auténtica actividad de artista, una realización de esta constante aspiración a la visión plástica, pues no sólo concibe sino que también da forma al cuadro y a la escultura.

Como confirmación de todo ello conviene recordar también su habilidad para el bordado que, según el P. Ribera, le permitió realizar no sólo adornos sino verdaderas composiciones[26].

---

añade: «Y en esta cueva estaba muchos ratos en oración. Y la oyó decir este testigo muchas veces que allí le había hecho nuestro Señor infinitas misericordias y mercedes». La pintura fue restaurada en 1670 por Francisco Rizzi. No sabemos por tanto, si como decía el citado don Juan Carrillo fue originariamente «de blanco y negro», o a todo color, como quedó después de las restauraciones.]

26. P. Francisco de Ribera: *Vida de Santa Teresa de Jesús*. Barcelona, 1908. Fray Gabriel de Jesús, en la citada Vida de Santa Teresa, reproduce algunos bordados de los que se le atribuyen a la santa (láms. 388 a 391). Algún otro

Sin embargo, el caso de Santa Teresa queda en un segundo lugar si lo comparamos con la labor de artista de San Juan de la Cruz.

SOBRE LA FORMACION ARTISTICA DE SAN JUAN DE LA CRUZ

La formación artística del santo carmelita, tanto en lo que respecta al concepto del arte como a la técnica, trasciende a través de las páginas de sus tratados. Desde este punto de vista los trozos de más interés de sus escritos son los capítulos XXXV a XXXVIII del libro III de la Subida del Monte Carmelo. Son consideraciones sobre las imágenes que necesariamente le llevan a exponer sus ideas sobre la escultura religiosa.

Aunque asiente que no hay que confundir el valor artístico de la imagen con la finalidad devocional, censurando a esas «personas que ponen su gozo más en la pintura y ornato de ellas, que en lo que representan», sin embargo censura también y enérgicamente a los que las tienen «con poca decencia y reverencia» y a «los que hacen algunas tan mal talladas que antes quitan devoción que la añaden»[27]. Estima que incluso se les debiera prohibir trabajar «a algunos oficiales que en esta arte son cortos y toscos»[28]. Es claro que esto es natural en un espíritu que ponía como guía principal de su doctrina mística la hermosura; en un alma que, como dice el P. Crisógono de Jesús, «tenía la preocupación, la obsesión de la hermosura»[29]. Pero es que a esto precisamente contribuyó, como dice el citado padre, su educación artística, su aprendizaje en la pintura y la escultura que le dejaron para siempre, «como lo dejan todas las impresiones en esa

---

distinto a ellos se recogen, aunque en un pequeño grabado, en el citado libro que se editó en el tercer centenario de la beatificación de la santa.

27.   *Subida del Monte Carmelo.* Lib. III. Cap. XXXVIII.

28.   Ibid. Ibid.

29.   P. Crisógono de Jesús: *San Juan de la Cruz.* Barcelona, 1935. Parte tercera. Cap. I.

edad, cierta preocupación por la belleza de las formas»[30].
Pero junto al artista, el fraile conoce que el peligro de la
perfección de la escultura está en que el devoto pueda poner
más confianza en la imagen más bella que en la obra medio-
cre, por esto, añade, «que aun por experiencia se ve que,
si Dios hace algunas mercedes y obra milagros, ordinaria-
mente lo hace por medio de algunas imágenes no muy bien
talladas ni curiosamente pintadas o figuradas; porque los
fieles no atribuyan algo de esto a la figura o pintura»[31].
Es asimismo partidario, y esto muestra también la posición
del artista, de la talla completa, rechazando la imagen de
vestir, sobre todo si además se sigue en los trajes la moda del
momento, costumbre que califica de *abominable*. A pesar del
clasicismo e italianismo de la anterior afirmación y de otros
aspectos de su obra poética, mantiene en lo referente a la
plástica una posición totalmente coincidente con el espíritu
barroco de la estatuaria castellana del XVI. Más que de la
perfección de la forma se muestra partidario de lo expresivo;
lo fundamental de la imagen es que sea realista, que impresione vivamente y despierte la devoción en los fieles: «las
que más al propio y vivo están sacadas —dice— y más mueven la voluntad a devoción, se han de escoger, poniendo los
ojos en esto más que en el valor y curiosidad de la hechura
y su ornato»[32].

Cómo gustaba de las buenas imágenes de expresión sentida lo comprueba también el relato (citado por fray José
de Jesús María) que, con respecto a la pobreza del santo,
hace su compañero de Orden el P. fray Juan Evangelista,
Prior del Monasterio de Alcaudete: «Hízole devoción, una
vez, una imagencita pequeña de muy buena pintura, que
yo le enseñé, y viendo que le había contentado, le porfié
que la tomase para traerla consigo, y no pude acabarlo
con él»[33]. Aunque no lo aceptara «porque decía que estas

30. Ibid. Ibid.
31. *Subida del Monte Carmelo* Lib. III. Cap. XXXVI.
32. Ibid. [Véase el apartado final de este ensayo que agregamos hoy al
reeditarlo.]
33. *Ob. cit.* Lib. I. Cap. LVI.

cosas de devoción eran cebos muy a propósito para prender el alma y embarazarla con cosas materiales y quitarle la libertad de espíritu», se demuestra claramente, por las palabras del citado padre, que era conocedor y sabía apreciar y gustar la verdadera obra de arte. Y que conocía bien la técnica de la escultura polícroma lo demuestra claramente en una de sus Cautelas (primera de las «Contra la carne»). Distingue claramente en ella los varios momentos de la talla de una imagen. Al asentar que el monje ha de entender que ha venido al convento para que todos lo labren y ejerciten, dice: «Conviene que pienses que todos son oficiales los que están en el convento para ejercitate, como a la verdad lo son; que unos te han de labrar de palabra, otros de obra, otros de pensamiento contra ti; y que en todo has de estar sujeto como la imagen lo está al que la labra y al que la pinta y al que la dora». Vuelve a insistir sobre la misma comparación de la talla de las imágenes en la «Llama de amor viva». «No cualquiera que sabe desbastar el madero —dice— sabe entallar la imagen, ni cualquiera que sabe entallarla, sabe perfilarla y pulirla, y no cualquiera que sabe pulirla sabrá pintarla, ni cualquiera que sabe pintarla sabrá poner la última mano y perfección» [34]. Bastaría este ejemplo para demostrar cómo hasta en sus últimos tiempos recordaba el santo perfectamente todas las labores del taller de un imaginero.

UTILIZACION DE MEDIOS TEATRALES EN LA VIDA ESPIRITUAL

Aparte de sus escritos y de sus obras de pintor y escultor, hay otro hecho en su vida de monje que demuestra con claridad cómo era consciente de la fuerza emocional y poder edificante que tiene la representación viva de la escena religiosa. Pasajes de la vida de la Virgen, escenas de martirios y hasta representaciones de virtudes presenta ante sus novicios en las galerías del claustro, con un verdadero sentido

34. *Llama de Amor viva*. Canc. III, párrafo 57.

plástico y dramático que nos hace pensar a un mismo tiempo en el paso de procesión y en la comedia de santos y el auto sacramental. En cierto modo podríamos considerarlo por ello como un verdadero autor dramático, aunque se trate de composiciones en las que casi la única voz era la suya. Unas veces era para recrear, otras para estimular en la vida de sacrificio y mortificación de la nueva regla.

En la noche de Navidad, cuentan sus biógrafos, representaba en las galerías del claustro la entrada de la Virgen en Belén paseando una imagen de Nuestra Señora que se detenía sucesivamente ante varios monjes que representaban los mesoneros a quienes iba pidiendo posada. En cierta ocasión «hizo que dos religiosos, acomodando el disfraz con el ropaje de sus hábitos, representasen las personas de Nuestra Señora y de San José, y alrededor de un claustro donde estaban otros como en diferentes mesones, les pidiesen posada, despidiéndoles éstos sin querérsela dar. Pero especialmente el siervo de Dios se enterneció, y encendió de manera, que prorrumpiendo en afectuosos sentimientos, decía mil regalos y lindezas a la Virgen y su esposo y levantaba pensamientos y consideraciones del cielo sobre su pobreza y desamparo» [35]. En ocasiones llegaba a enfervorizar de tal manera a los religiosos que terminaban todos llorando ante aquellas escenas que, como dice uno de sus biógrafos, «no parecía representación de cosa pasada, sino el mismo suceso que se veía presente».

Aún más impresionantes debían ser las escenas de martirio en las que casi siempre el santo representaba al mártir que mantenía ante el juez y verdugos con gestos y palabras

35. Fray Jerónimo de San José. *Ob. cit.* Lib. IV. Cap. XI, y fray José de Jesús María. *Ob. cit.* Lib. I. Cap. XX. [De alguna de esas celebraciones debe proceder el conocido cantarcillo del santo: «*Del verbo divino / la Virgen preñada / viene de camino. / ¿Si le dais posada?*» Ante todas estas espontáneas representaciones o dramatizaciones de textos evangélicos no debemos olvidar su formación y su intervención muy posible en las representaciones teatrales —típicas del Teatro Jesuita— celebradas en el Colegio de Medina del Campo, junto al joven humanista P. Bonifacio. Casi con seguridad él intervendría y hasta escribiría parte de algunas de las piezas teatrales allí representadas en sus años de estudiante.]

de placer de sufrir por la causa de Cristo. Con cierto detalle recuerda fray José de Jesús María uno de estos ensayos de martirio realizado por el santo en el noviciado de la Mancha de Jaén para enfervorizar a los novicios. «Nombráronse oficiales, e hicieron las figuras de mártires nuestro padre San Juan de la Cruz y el maestro de novicios, llamado fray Cristóbal de San Alberto. Fueron acusados de cristianos, y el juez les tomó confesión, y habiendo confesado con gran fervor la fe de Cristo y detestado de las sectas contrarias, mandó el juez que les desnudasen las espaldas y los amarrasen a dos naranjos de la huerta donde el ensayo se hacía, y que allí fuesen azotados rigurosamente, hasta que, arrepentidos, dejasen de confesar a Cristo. Hízose así, y los verdugos ejecutando lo que el juez mandaba, hacían su oficio, como si no fuera representación, sino castigo de veras y tanto más alentadamente cuanto el fervor de los mártires era mayor» [36].

Verdadero juego teatral con que también entretenía y formaba a sus monjes es otro que cuentan los citados biógrafos. Consistía en «armar un caballero, y señalando a uno que lo fuese de Cristo, mandaba que cada uno le diese aquellas armas con que mejor pudiese pelear, y defenderse de sus enemigos· en la conquista del Reino de los Cielos. Unos le daban el escudo y loriga de la Fe, otros la celada de la Esperanza, otros la espada y cuchillo de la Palabra divina, y otros lo armaban de pies a cabeza de la Mortificación de Jesucristo. Otras veces proponía que vistiesen y adornasen a un Hermano, para que dignamente pudiese hallarse en el convite del cielo; y cada uno le daba la virtud que le parecía más a propósito para salir muy de fiesta y pasar delante de Nuestro Señor y de sus convidados celestiales... y tomando el Venerable Padre la mano sobre cada arma, vestido o joya que se daba al que querían armar, o adornar, decía maravillosas ponderaciones, encajando entre aquel ejercicio de honesta y devota recreación la doctrina de más

36. *Ob. cit.* Lib. II. Cap. XX.

veras y de más sólido espíritu y perfección con que los encendía en un ardor y alentado brío de alcanzarla»[37].

SOBRE LA ACTIVIDAD ARTISTICA
DE SAN JUAN DE LA CRUZ

De su vida y actividad artística en el sentido exacto de la palabra, dejando aparte su intervención como arquitecto en las obras de los conventos de Granada y de Segovia sobre todo, son varias las referencias que tenemos. En primer lugar es sabido que antes de tomar el hábito en la Orden carmelitana, entre otros oficios, probó el de entallador y pintor. Así lo afirma fray José de Jesús María en la biografía del santo[38], y un manuscrito de la Biblioteca Nacional citado por el padre Crisógono de Jesús[39]. Pero además tenemos referencias de tiempos posteriores que demuestran siguió cultivando ambas artes, y aunque ello fuera sólo como un entretenimiento, dice bien cómo también respondía a una necesidad espiritual análoga en cierto modo a la que determina su obra poética; no sólo por su finalidad exclusivamente religiosa, sino por la forma de creación. Tan ligada está a su vida espiritual, incluso a sus experiencias místicas, como el *Cántico Espiritual* o la *Llama de Amor Viva*. Precisamente los dibujos conservados responden: uno a una visión de Cristo, y el otro al deseo de sintetizar gráficamente su doctrina mística.

De su actividad de escultor, las citas de más interés son las recogidas por el P. Crisógono. Corresponde una al tiempo en que San Juan estuvo en el Monasterio del Calvario[40]. Dice el hermano Brocardo, que vivía entonces con él, que

---

37. *Ob. cit.* Lib. I. Cap. XLVIII. [Como vemos, en este caso lo que hacía el santo poeta era representar o poner en acción glosándolo, un pasaje de la *Epístola a los Efesios*, de San Pablo, en su *Recomendación final y despedida*.]

38. *Ob. cit.* Lib. I. Cap. II.

39. Ms. núm. 12738. fol. 611.

40. P. CRISÓGONO DE JESÚS. *Ob cit*. Cap. IV, y *San Juan de la Cruz. Su obra científica y su obra literaria*. Avila, 1929. T. II. Cap. V.

«el tiempo que le sobraba de sus obligaciones y ocupaciones, que eran muchas, lo gastaba como por recreación en labrar unos Cristos de madera que hacía»[41]. La otra se refiere al tiempo de su prisión en Toledo: el Crucifijo que dio entonces el santo a su carcelero, dice un compañero suyo: «Tengo por cierto era obra hecha por manos del Santo, porque en las horas de recreación, con una punta como de lanceta labraba curiosamente imagencitas»[42]. También fray Jerónimo de San José dice que en los comienzos de su vida religiosa «trabajaba de manos el rato que le sobraba y se entretenía en labrar cruces de madera»[43]. Esta última referencia, aunque sea vaga, sin embargo, completa la anterior, demostrando claramente cómo la actividad de artista es algo que corre a lo largo de su vida. Conviene además fijar la atención en la índole de estos trabajos; se trata de un arte que exige instrumentos y preparación técnica, no es cosa que pueda realizarse espontáneamente, como ocurre con el dibujo, sino que supone que el santo había sufrido un aprendizaje y sabía bien lo que era el tallar la madera; esto es, era un imaginero en el sentido exacto de la palabra[44].

Ahora bien, por encima del artista se impone el religioso y el santo y así la labor de escultor y dibujante se reduce a aquellos aspectos que podían ser de eficacia para la vida espiritual. Por esto no es cosa extraña, sino lógica consecuen-

---

41. Ms. núm. 13482, fol. 58.
42. P. Crisógono de Jesús. Ob. últimamente citada. Cap. V.
43. *Ob. cit.* Lib. I. Cap. V.
44. [Sánchez Cantón, en su artículo *Cabe hablar de las Artes en San Juan de la Cruz* —Rev. *Escorial*, n.º 25, 1942— recoge una información documental aportada por Gómez Moreno recogida de un inventario correspondiente a la ermita del convento de los Mártires de Granada fechado en 1658, en el que figura una Virgen tallada por el santo. Añadamos que el convento de Carmelitas de Vélez Málaga conserva una pequeña calavera, primorosamente tallada en hueso, que tradicionalmente se atribuye a San Juan de la Cruz. Queremos anotar aquí que en Granada, en propiedad particular, se conserva una imagen pequeñita de la Virgen del Carmen hábilmente tallada de la que, positivamente, sabemos procede del citado convento de los Mártires. Aunque parece obra del siglo XVII, sin embargo interesa recordarla porque vendría a confirmar que la labor de tallar pequeñas imágenes, que sabemos gustaba al santo, continuó haciéndose en el convento en fechas posteriores a sus estancias en él.]

cia, el hecho de que toda su actividad artística que conocemos, se concrete a la representación del Crucificado; pues para él, quizá más que para los demás místicos, este paso de la vida de Cristo, «que solía enternecerle las entrañas», es motivo fundamental de la meditación. En la Subida del Monte Carmelo recuerda las palabras del Apóstol cuando decía «que no había él dado a entender que sabía otra cosa, sino a Jesucristo y a Este Crucificado»[45]. Para San Juan, el cristiano debe tener grabada en su alma la imagen de Jesús en la cruz, «porque la viva imagen busca dentro de sí, que es a Cristo crucificado»[46]. Por eso brotó de sus manos como algo espontáneo, al hacerse forma corpórea y visible lo más hondo de su sentir, la imagen de Cristo en la cruz que tenía, diríamos con palabras de la santa de Avila, «esculpida en su corazón».

EL CRUCIFICADO DE SAN JUAN DE LA CRUZ.

Aparte del ya citado dibujo del Monte de la Perfección, que a juzgar por las palabras de fray José de Jesús María fue obra estimada por religiosos y seglares, conocemos del santo carmelita un auténtico dibujo de Cristo en la Cruz. Se trata de una obra ya reproducida en un libro, pero por ser éste un impreso relativamente raro, ha quedado olvidado de la crítica artística moderna, en la forma que hemos creído conveniente su publicación.

El libro en que se reprodujo este dibujo y se dan noticias de cuando lo hizo el santo es la interesante biografía, obra de fray Jerónimo de San José, publicada en 1641. Con posterioridad se vuelve a citar dicho dibujo, refiriéndose a la mencionada biografía, en la del P. fray José de Santa Teresa, aparecida en 1675[47].

45. *Subida del Monte Carmelo.* Lib. II. Cap. XXII.
46. Ibid. Lib. III. Cap. XXXV.
47. Fray José de Santa Teresa: *Resunta de la vida de N. Bienaventurado P. San Juan de la Cruz.* Madrid, 1675, pág. 33.

Ultimamente se refirió a él el P. Crisógono de Jesús, quien además ha llegado a ver el original en un relicario conservado en el convento de la Encarnación de Avila, indicando la imposibilidad de reproducirlo fotográficamente[48]. De aquí que hayamos creído conveniente la publicación del grabado recogido en la obra de fray Jerónimo de San José.

Realizó el santo este Crucificado con motivo de una visión que tuvo en Avila. Así nos lo cuenta el citado fray Jerónimo de San José: «Estaba orando el Venerable varón, y contemplando en los dolores que su Divina Majestad había padecido en la cruz, aquel divino rostro afeado, su lastimera figura, y el descoyuntamiento de todo su sagrado cuerpo: y absorto en la consideración de este paso, que solía enternecerle las entrañas, vio súbitamente delante de los ojos lo que se le representaba dentro de su alma, que como contemplado ilustraba el entendimiento, y imaginando ennoblecía la imaginación... Quedólo aquella figura tan impresa, que después a solas tomando una pluma, la dibujó en un papel con solas unas líneas...»[49] El dibujo, según añade el citado cronista, dióselo a la religiosa del convento de la Encarnación de allí mismo Ana María de Jesús, quien a su muerte lo entregó a la religiosa doña María Pinel, después priora del mismo convento, que lo guardaba en la fecha en que el citado padre escribió su crónica.

Cierta formación artística demuestra también fray Jerónimo de San José en el aprecio que hace de este dibujo del

---

48. Dice el P. Crisógono: «Mide el palo de la Cruz 5 centímetros y 7 milímetros, y los brazos de la misma 4,7. El grueso es de 3 milímetros. Los brazos del Señor tienen un centímetro con 8 milímetros». *Ob. cit.* [Como ya hemos dicho en el prólogo, con posterioridad a nuestro artículo, el profesor don Gonzalo Menéndez Pidal logró obtener una fotografía del dibujo con procedimiento técnico que le permitió recogerlo suprimiendo las manchas, fotografía que publicó en el *Suplemento de Arte* de la revista *Escorial* en 1943. Es la fotografía que también reprodujimos nosotros en nuestro libro ya citado *Poesía y Mística* —Madrid, 1959— y que se ha reproducido también con posterioridad. Hace pocos años se ha realizado la limpieza y restauración del dibujo, al parecer no totalmente satisfactoria, ya que se ha perdido algún pequeño trazo del original.]

49. *Ob. cit.* Lib. II. Cap. IX.

santo; sabe descubrir sus valores indicando las dificultades
de ejecución y el sentido devocional que demuestra. «Tres
cosas, entre otras, son dignas de ponderación en este dibujo. La primera, la posición en que se le representó Cristo
Nuestro Señor, y la que tenía el Venerable varón cuando le
vio. La segunda, el artificio del dibujo. La tercera, la devoción que representa y causa».

Por la posición en que aparece el Crucificado, en escorzo y
visto desde arriba, demuestra que el santo tuvo la visión
estando en alguna tribuna de la capilla mayor de la iglesia,
apareciéndosele la imagen en el centro del altar. En esta
forma, como puede verse, se reproduce en el grabado que
publicó fray Jerónimo de San José. El santo, con pocos trazos,
supo resolver las dificultades del dibujo de la figura escorzada,
cual sólo es capaz el buen dibujante. Con razón el citado
cronista se extraña y resalta el hecho. «Porque dibujar objeto ausente en aquella forma, dice, pide tan singular destreza, que los mayores maestros deste Arte, que le han visto,
tienen a particular milagro haber hecho este dibujo, quien
no fuese muy ejercitado y diestro Pintor» [50].

Verdaderamente, la primera vez que se contempla este
dibujo produce extrañeza; es algo distinto por su concepción
de lo que podía esperarse, acentuando, por la misma visión
escorzada, la impresión trágica de la figura pendiente de la
cruz. Como muy bien observa fray Jerónimo, preguntándose
por qué no se le aparecería Jesucristo vuelto de frente al
santo. «Podríase creer haber sido para representar con aquel
escorzo a sus ojos una figura más lastimosa, y descoyuntada
de lo que pareciera derechamente» [51].

Es una imagen, aunque sólo sea en esbozo, de las que
mueven a devoción. Se ve el Cristo muerto que pende de los
brazos de la cruz, doblándose las rodillas al peso del cuerpo,
cual si fuera a desgarrarse y caer hacia delante. La cabeza cae
también pesadamente sobre el pecho, envuelta por una es-
pesa cabellera. Es cierto que quizá se haya exagerado el

50. Ibid. Ibid. *Ob. cit.*
51. Ibid. Ibid.

El Crucificado, de San Juan de la Cruz, según el grabado que figura en la *Historia del Santo*, de Fray Jerónimo de San José, Madrid 1641.

Cristo Crucificado. Dibujo de San Juan de la Cruz. Convento de la Encarnación. Avila.

retorcimiento de los brazos, en particular el izquierdo que parece descoyuntado del hombro; pero ello confirma la tendencia a lo impresionante y realista. Con razón dice el P. Crisógono que «ofrece el Santo Cristo una figura que llega al alma»[52].

Se explica, y no sólo por ser obra del santo, que se multiplicaran las copias y se apetecieran como estampas de devoción: por cierto que, según dice fray Jerónimo de San José, aun los más diestros pintores les había «visto errar en las copias que han sacado del original, teniéndole presente». La flojedad de este grabado confirma en parte tal observación[53].

Otro interés grande tiene este dibujo desde el punto de vista iconográfico. Se trata de una representación del Crucificado con cuatro clavos, cosa extraña en su época. Según Pacheco, dejando aparte antiguas representaciones, los primeros crucifijos con cuatro clavos se hicieron en España, ya en los finales del siglo XVI, extendiéndose en el foco de pintores y escultores sevillanos de su tiempo, en particular por él mismo[54]. Rioja le alabó por haber «sido el primero que en estos días en España ha vuelto a restituir el uso antiguo con algunas imágenes de Cristo que ha pintado de cuatro clavos»[55]. Según el pintor, el punto de partida de esta innovación fue el vaciado de un crucifijo de Miguel Angel que llevó a Sevilla en 1597 el platero Juan Bautista Franconio. Pensemos ahora que cuando este tipo iconográ-

52. P. CRISÓGONO. *Ob. cit.*

53. [Una muestra de esas copias hechas por pintores es el cuadrito de composición análoga al grabado, hecho al parecer en el siglo XVII, que se conserva en el Museo del Convento de carmelitas de San José de Avila. Lo reprodujo Michel Florissone en el librito *Esthétique et Mystique d'après Thérèse d'Avila et Saint Jean de la Croix* −París, 1956−.]

54. FRANCISCO PACHECO, *Arte de la Pintura, su antigüedad y grandeza.* Sevilla, 1641. Cap. XV. [A pesar de este testimonio incorporado por Pacheco en su libro, es de señalar que, líneas más abajo, el mismo tratadista y pintor recoge una información que le proporcionó el escultor Martínez Montáñes, según la cual «su maestro Pablo de Roxas hizo en Granada, de esto hará más de cuarenta años, una de marfil con cuatro clavos, para el Conde de Monteagudo». Según esta indicación habría que colocar esta obra del granadino en fecha anterior a la de 1598.]

55. Ibid. Ibid.

fico lo recogieron los pintores de Sevilla, hacía ya muchos años que San Juan de la Cruz había hecho este dibujo.

[LO ANTICLASICO Y BARROCO EN LA DOCTRINA ESTETICA DE SAN JUAN DE LA CRUZ

Queremos incorporar aquí y bajo el mismo epígrafe —y sólo con ligeras adiciones— las páginas que en nuestro citado ensayo sobre *La Literatura religiosa y el Barroco* dedicamos a considerar el íntimo sentido de la estética de San Juan de la Cruz. Ella puede condensarse en la afirmación de que nunca antepuso el arte a la religiosidad. Logró la maestría en sus versos de unos valores y técnica simbolista superior a un Mallarmé, no buscando la belleza, sino comunicar una doctrina mística y con ella la emoción desbordante de su propia experiencia. Hizo canto y no poesía, en una supervaloración de los elementos sensoriales del verso cuyo lenguaje místico se identifica y confunde con el lenguaje poético. Renunciando a la realidad sensible, la exaltó en sus valores y halagos sensoriales hasta casi una divinización panteísta, después de traspasar la noche de los sentidos y del entendimiento; y así, afirmando que nada creado pudiese ser medio para ir a Dios, terminó paradójicamente integrando la poesía en la vida espiritual. En conclusión, diciéndole *no* al culto de la belleza y buscando sólo mover el alma hacia Dios, creó extraordinaria obra de arte. He aquí ya un punto de coincidencia con el fundamento de la estética barroca; no buscar la belleza por sí —y menos en abstracto— sino la vida; aunque en el místico, poeta y artista, fuese la vida en su más profundo y trascendente sentido.

Aunque en la obra de San Juan de la Cruz no encontramos especialmente destacados los rasgos, que podemos llamar prebarrocos —en cuanto a la descripción y expresión realista desbordante—, e incluso su temperamento le hace apartarse de muchas de las formas y recursos comunes a la generalidad de nuestros autores ascéticos, sin embargo, es de interés observar que, pese a su formación en el conocimiento y estudio de los clásicos —pues aprendió trozos de memoria de los poetas de la Antigüedad y escribió versos latinos, con el P. Bonifacio, en Medina del Campo, al tiempo que leería a Garcilaso—, cuando reflexiona sobre el arte, descubre otro fundamento más en qué apoyar este paralelismo entre la estética de los místicos y la estética del Barroco; hecho que en parte hay que considerar no sólo como fenómeno de coincidencia, sino como de iniciación y antecedente.

Su doctrina estética supone una valoración de lo vivo y expresivo —de lo que *mueve*— sobre la corrección y perfección formal, distinta o más bien contraria a una concepción clasicista e idealista, cual corresponde al pensamiento artístico del Renacimiento. No creo, pues, esté en lo cierto Florissone cuando interpreta el pensamiento de San Juan de la Cruz, emitido por el santo al hablar de las imágenes, considerándolo como una expresión del clasicismo. A nuestro parecer las palabras que le inducen a ello contienen precisamente un juicio negativo que nos permite afirmar como contrario el reconocimiento de una estética clasicista. Y las frases del santo que aduce como confirmación son, a nuestro juicio, claramente demostrativas de una postura anticlásica o, para decirlo mejor, barroca, pues no suponen un intelectualismo manierista. Así lo afirmamos hace tiempo al comentar estos juicios del gran místico sobre las imágenes. Cuando éste condena y pide se le impida trabajar a los oficiales *cortos y toscos* «que hacen algunas tan mal talladas que antes quitan la devoción que la añaden», no creo que en manera alguna pueda deducirse el principio de que «la devoción ofrecida está en proporción directa con el valor estético» [56]. Precisamente lo que el santo quiere es distinguir el valor devocional o religioso del valor artístico, y dando la preferencia a lo devocional, esto es, a lo expresivo a la expresión religiosa con ese sentido comunicativo que busca la imaginería barroca. Esto se deduce de las palabras que anteceden en el citado texto de la *Subida del*

---

56. *Ob. cit.*, págs. 154 y sig.

Monte Carmelo, por lo que —aunque ya la citamos antes en parte— conviene recogerlo completo: «El uso de las imágenes para dos principales fines lo ordenó la Iglesia, es a saber; para reverenciar a los santos en ellas, y para mover la voluntad y despertar la devoción por ellas a ellos. Y cuanto sirven de esto, son provechosas, y el uso de ellas necesario; y por eso las que más al propio y vivo están sacadas, y más mueven la voluntad a devoción, se han de escoger poniendo los ojos en ésta más que en el valor y curiosidad de la hechura y su ornato» (lib. 3.º, CXXXV). Ante el hecho de *escoger las que más al propio y vivo están sacadas y más mueven la voluntad a devoción*, no creo pueda pensarse que se descubre con ello *como uno de los promotores del clasicismo*. Un escultor clasicista hubiera preferido lo que él rebaja: «El valor y curiosidad de la hechura y su ornato». Esto es, lo que se refiere a la corrección y perfección formal.

El pensamiento se aclara y completa con sus opiniones sobre el estilo del predicador. «Poco importa —afirma— oír una música sonar mejor que otra, si no me mueve más ésta que aquélla a hacer obras»[57]. Reconoce, pues, la existencia de un valor, superior estéticamente, algo más perfecto, mejor; pero que pierde a su juicio en cuanto no *mueve* más a devoción. Una prueba de hecho la tenemos en haber preferido como modelo la versión a lo divino de los versos de Garcilaso, hecha por Sebastián de Córdoba, a la obra auténtica y perfecta original.

Por otra parte, lo que nos queda como muestra de su creación artística, su pequeño dibujo del Crucificado, es una confirmación de ese anteponer el valor emocional y expresivo a la equilibrada, armoniosa y de corrección formal. Es la patente demostración de qué entendía por *sacar más al propio y vivo*. Es el traslado de una visión que para él constituyó algo plenamente vivo y real. No se trata de un Cristo en actitud rebuscada, en postura difícil como gusta de presentar la figura el pintor manierista en cuya violencia y agitación descubrimos no la movida y viva realidad, sino

---

57. *Ob. cit.* Lib. III. Cap. XLV, párrafo 5.º

la forzada colocación impuesta. Representa a Cristo —según hemos visto— en el momento de expirar, caído sobre las piernas, que se flexionan violentamente, con los brazos descoyuntados en la tensión extrema de pender de ellos y cubierto el rostro con una enorme melena caída y chorreando sangre. Es, ante todo, una visión impresionante y conmovedora. El punto de vista escorzado, desde arriba —responde a la efectiva visión experimentada de contemplarlo sobre el altar desde una ventana del presbiterio— refuerza esa impresión de figura descoyuntada y pendiente de la cruz.

Es verdad que no deja de tener cierta relación con las imágenes contorsionadas que un Berruguete y un Juni tallan en el siglo xvi; pero no olvidemos que en el dramatismo y violencia expresiva del arte de esos escultores no todo es explicable por el Manierismo. Precisamente en esa semejanza debemos ver una razón más profunda característica de lo español, especialmente extremada ante el tema religioso. Algún recuerdo puede también acudir de visiones de la pintura gótica flamenca del siglo xv, que como sabemos tan profundamente fue gustada por la sensibilidad española. Ello es abundar también en lo anticlásico de la visión de San Juan de la Cruz. Cualquiera que viera ese dibujo por primera vez no creo pensara, observando sus rasgos más expresivos, que se trataba de una obra del siglo xvi. Tendería a situarlo dentro del período del Barroco, y de un momento de exaltación.

Por otra parte no dejemos de observar que, aunque la orientación de su doctrina no sea la de la meditación realista, sin embargo, supone la valoración de lo plástico y figurativo, buscando el estímulo del sentido visual y el recreo, con los símiles y comparaciones, con todo el mundo, de la naturaleza visible y concreta. Por cierto que son de cierto interés —por reflejar la propia experiencia de sus años juveniles de trabajo en un taller de escultor y pintor— las comparaciones que hace con respecto al arte de tallar y pintar las imágenes.]

II. REALISMO Y RELIGIOSIDAD EN LA PINTURA
DE SANCHEZ COTAN

Publicado en la revista «Goya». Número I. Madrid, 1966.
Se reimprime sin retoques, pero adicionándole una amplia anotación.

Ya hemos destacado más de una vez cómo Sánchez Cotán debe su especial significación en la historia de nuestra pintura a marcar, junto con Ribalta, el arranque de la corriente realista que ha de dominar y caracterizar los aspectos centrales de las escuelas del siglo XVII[1]. A esta concepción realista y monumental debe el ser conocido hoy de críticos, público y artistas que se estusiasman ante sus bodegones, quizá los más cercanos al gusto actual de toda la pintura anterior a Cézanne. Basta determinar la sorpresa que determinaron en el conjunto de la exposición de floreros y bodegones que se celebró en Madrid en 1935, y la fuerza aplastante con que ha acusado su presencia en la más reciente de París. Comentando esta exposición subrayábamos cómo el bodegón de Cotán, junto al recuerdo de pinturas de Pompeya, era por su composición el que quedaba más cerca de una de las obras más recientes allí colgadas: L'été de Saint Michel, de Pierre Roy[2]. Después, como insistiendo en esa misma modernidad, Sterling lo ha puesto en relación, por su fuerza y monumentalidad, con otra obra de Sequeiros[3]. Y es que el realismo del pintor cartujo es tan profundo, personal e independiente, que sobrepasa su valor como expresión de época y estilo; de más perennidad aún, si cabe, por su sentido, de los que paralelamente creó el Caravaggio.

No es de extrañar, pues, que en su tiempo Cotán se

1.   Véase, especialmente *El pintor Sánchez Cotán y el realismo español*. Rev. *Clavileño*. Julio-agosto, 1952, y *Las Vírgenes de Sánchez Cotán*. Granada, 1954.
2.   *Pintura española en París (En torno a una exposición de la naturaleza muerta)*. Rev. *Insula*. Núm. 88. Madrid, 1953.
3.   CHARLES, STERLING: *La Nature morte. De l'Antiquité à nos jours*. París, 1952.

hiciera famoso por su naturalismo, por sus frutas y sus pinturas hechas del natural. Porque el hecho en sí, en ese finalizar del siglo XVI, representaba algo violentamente revolucionario. Pensemos en cómo se mirarían unos bodegones como éstos en un ambiente en el que, aún años después, un Carducho vacilaba considerando el retrato como un género que no correspondía a los grandes pintores[4]. ¿Cómo había de acogerse no ya a la representación de «hombres y mujeres ordinarios y de oficios mecánicos» —que tanto indignaban al artista y teorizante—, sino a pintar, como verdaderos retratos, una col, un cardo, un pepino o un manojo de zanahorias? Sin embargo, la fuerza de ese incipiente y potente naturalismo fue tal que los mismos divulgadores de la estética del clasicismo y manierismo hubieron de admirar esa pintura del natural; del natural, no ya sin corregir, sino exaltado con violenta luz en sus pormenores. Así, Pacheco terminó afirmando que «si pudiese tenerlo delante siempre y en todo tiempo, sería lo mejor» y, además, pintando bodegones como su yerno Velázquez[5]. Y Carducho bajará hasta Granada sólo para conocer el arte realista de Cotán[6]. Este queda, así, cronológicamente, como el primero de los pintores barrocos españoles.

Cuando Wölfflin estudiaba el arte clásico italiano, destacaba como fenómeno significativo de cambio de estilo, de anuncio de nueva época, el hecho de que el Caravaggio, precisamente por la pintura de un vaso de flores, provocara

---

4. *Diálogos de la Pintura*. Madrid, Ed. Cruzada Villaamil, 1865, pág. 127.

5. *Arte de la Pintura. Su Antigüedad y grandeza*. Madrid, Ed. Cruzada Villaamil, 1866. T. I. pág. 45.

6. El hecho de este viaje de Carducho a Granada para conocer a Cotán y su obra la consignó Palomino en la biografía del artista, y es dato del que no hay motivo alguno para dudar, ya que el pintor y tratadista residió y trabajó durante bastante tiempo en esta Cartuja y en consecuencia pudo recoger segura información. Nos cuenta que Carducho sin vacilar logró señalarle, entre todos los religiosos legos reunidos por el Prior para probar la inteligencia del visitante, «sólo atendiendo a las pinturas de fray Juan y a los rostros de todos». V. Antonio Palomino de Castro y Velasco. *El Parnaso español pintoresco laureado*. En *El Museo pictórico y escala óptica*. T. III. Madrid, 1724.

en Roma un entusiasmo general[7]. Y esto es precisamente lo
que en la pintura española, y de una manera más decidida
e insistente, realiza Cotán. Sin que podamos suponer en él,
lo que nos hace pensar muchas veces el arranque del Merisi, que mantuvo con ello un gesto, espiritualmente, hijo
del Renacimiento: el deseo de emular a los artistas griegos
según la anécdota famosa que los tratadistas habían divulgado[8]. Y además nuestro pintor, aun más violentamente y
sin enlace alguno con lo artificial, descendió, en busca de sus
objetos, en la jerarquía de las creaciones de la naturaleza, a
productos aún más humildes y elementales y sin la resonancia clásico-mitológica del tema báquico de los pámpanos
y las uvas.

Este profundo cambio del objeto artístico, esta equiparación de lo inanimado con lo humano es contrario e incom-
prendido de la mente clasicista. Cuando un fino comentador
de Virgilio, Theodoro Haecker, concreta los rasgos esenciales
del verdadero arte clásico, los enuncia diciendo que es «el
encuentro afortunado de la más grande potencia artística...
con el más grande objeto real: éste es el primer principio
de todo arte clásico»[9]. En consecuencia, no podía admitir
esa equiparación ni siquiera desde un punto de vista humano.

«Es absolutamente claro —escribe— y está fuera de toda
discusión que un pintor que pinta bien un manojo de espárragos crea una obra de arte más valiosa que otro que pinta
mal una Madonna; pero también habría que conceder en

    7. *L'Art classique. Initiation au genie de la Renaissance italianne.* París, 1911,
pág. 276.
    8. Nos referimos a la que, entre otros, recogió de Plinio el humanista Pa-
cioli en su famosa obra que tanto influyó en el ambiente artístico e intelectual
sobre *La divina proporción.* «Desafiando a Parrasio a pintar —nos cuenta—
hizo Zeusis una cesta de uvas con sus pámpanos, que expuestos en público
indujo a los pájaros a abalanzarse sobre ella como si fuese verdadera. Y el
otro hizo un velo y habiendo expuesto también él en público le dijo Zeusis,
creyendo que era un velo que cubría su obra hecha en desafío: "Quita el velo
y deja ver la tuya a todos, como yo dejo ver la mía", y desta manera quedó
vencido». *Ob. cit.* Trad. Ed. Losada. Buenos Aires. Parte I. Cap. III, pág. 67.
    9. *Virgilio, Padre de Occidente.* Trad. V. García Yebra. Madrid, 1945,
pág. 98.

este caso —añade precisando—, punto que es igualmente
claro y está fuera de toda discusión, que una Madonna es
un objeto más valioso que un manojo de espárragos; y
no sólo esto, habría de conceder asimismo que uno que
pinta bien un manojo de espárragos no por eso pintará bien
una Madonna, y no porque le falten las disposiciones espe-
cíficamente pictóricas, pues éstas las tiene, sino otras más
altas que no sólo como pintor, sino también como hombre,
lo hace rico o grande o profundo, de tal modo que el que sabe
pintar una Madonna bien es más que aquél, no específica-
mente como pintor (¡aunque en realidad también!), sino
como hombre».

Cotán viene a dar la negativa categórica a estos argu-
mentos, precisamente, pintando madonnas y espárragos,
pero demostrándonos que cabe, por su actitud humilde ante
la realidad, trascender hasta el campo de lo espiritual y
religioso. Y supone barroquismo, no sólo el hecho de sentir
esta atracción por la realidad toda, hasta hacerla independiente y equiparar con lo humano y divino las plantas, las
flores, las frutas e incluso las cosas, sino que es también
profundamente barroco el cambio de punto de vista que
ello supone: el artista está ya a corta distancia del objeto;
se ha aproximado hasta hacerle adquirir su exacta dimensión, hasta hacer que el espectador lo contemple como
dentro de su propio ámbito espacial.

Era natural que no en todo el arte de Cotán se impusiese
un violento sentido naturalista. Ello pudo producirse con
libertad en el género que representaba una creación nueva,
pero no en el cuadro de figura. En este caso el realismo se
va imponiendo con un proceso análogo al que nos ofrece
un arte como el de Pacheco, si bien su desarrollo obedece a
un impulso de sentido contrario; esto es, no le viene de fuera,
sino que surge de lo íntimo, y, junto a ello, del impulso
de una fuerte tradición realista patente y viva en la pintura
toledana que le precede y que le ha llevado a este gusto por la
representación de flores y frutas no sólo a su maestro Blas
de Prado, sino incluso a artistas de pleno romanismo como
Correa. La visión de sus lienzos de figuras responde en cuanto

a tipos y formas —pero no en los rostros masculinos— a un ideal de corrección y belleza clasicista; pero a ello se une, como íntima apetencia, ese impulso, cada vez menos contenido, hacia la representación del trozo de realidad, observado de cerca y minuciosamente, y hacia el desarrollo de lo anecdótico. Este doble plano, de creación ideal o fantástica, con trozos de rigurosa visión realista, se destaca bien en la concepción de sus paisajes, en los que sobre fondos hechos ateniéndose al dato literario o al grabado, se superponen árboles y plantas que ha contemplado en las huertas del Monasterio con la misma morosidad que ha observado en su taller, los objetos de sus bodegones. En estos detalles se descubre, además, un afán por la forma de vigoroso plasticismo, que acentúa la impresión de corporeidad y verdad hasta excitar la sensación táctil y engañar la vista. De aquí que estos detalles destaquen sobre todo en sus composiciones de inexpresivo clasicismo. Pero, aun en estas formas, como ocurre en sus pinturas de elementos arquitectónicos simulados en lienzos o muros, consigue, con seguridad de dibujo y sentido del claroscuro, dar la impresión de relieve. Por esto, el artista llega al verdadero y fuerte realismo cuando ese sentido del volumen y de lo corpóreo, estudiado, diríamos, científicamente, se une al estudio directo del natural; lo que ocurre en sus figuras que son verdaderos retratos y, muy especialmente, en los bodegones. El artista entonces, sin tener el peso de los modelos clasicistas, se entrega con afán a la observación de la naturaleza. Bajo una dura luz, descubridora del último rasgo individualizador de forma y calidad, va recogiendo cariñosa y rigurosamente, detalle tras detalle, el modelo que tiene delante, y a esta reproducción fiel incorpora ese sentido del volumen, de cosa real, que determina, al fundirse con la observación, una sensación de que se contempla un ser que existe en el espacio. Porque, además, el tipo de bodegón que crea Cotán supone un sentido monumental; la representación de los objetos en su dimensión real y colocados ante el espectador con efecto de engaño de la vista, como si en realidad los tuviera ante sí, pendientes o colocados sobre el borde de un

profundo hueco o marco de ventana abierto en el muro.
La fuerza de su creación es tal que sorprende cuando se
contemplan por primera vez, como también extraña por
contraste cuando contemplamos en conjunto toda la pintura de bodegones que le precede e incluso cuando queremos
relacionarlo con otros aspectos de su propia obra. Y es que
ese íntimo impulso de naturalismo encontró en el nuevo género el campo posible para alcanzar su máximo desarrollo[10].

Descubrimos, desde luego, su apoyo en esa fuerte tradición realista toledana, como también descubrimos el claro
antecedente que con respecto a ellos representa la pintura
de nichos o alacenas con flores u objetos que ofrece el arte
flamenco del siglo xv; pero aun considerando todo ello,
el bodegón de Cotán, en paralelismo con los del Caravaggio,
representa un violento salto con respecto a todo lo que le
precede. No sabemos si el enlace lo ofrecerían las pinturas
de frutas y flores que hicieron también famoso a su maestro
Blas de Prado. Seguimos sin conocer éstas; ya que no creo
posible la identificación que de dicho artista y Blas de Ledesma ha hecho con insistencia Sterling, pues al primero se
le da como muerto dentro del siglo xvi —en todo caso antes
de 1603, en que Cotán, en su testamento, se refiere ya a sus
herederos—, y, por otra parte, Ledesma está documentado
en Granada precisamente en fechas correspondientes al
siglo xvii[11]. Pensar en un influjo de Labrador, como apunta

---

10.   Véase nuestro trabajo: *Sobre el punto de vista en el Barroco*. En «Suplemento de Arte» de la Rev. *Escorial*. Madrid, 1943. Incluido en *Temas del Barroco*.
Granada, 1947. Ampliamos lo expuesto en este ensayo en *Lección permanente
del Barroco español* (1.ª ed. Madrid, 1952) y *La Literatura religiosa y el Barroco*
(1.ª ed. Madrid, 1963), incluidos con adiciones en el libro *Manierismo y Barroco* (Salamanca, 1970, y —con nuevas ampliaciones— Madrid, 1975).
11.   Esta identificación de Blas de Prado y Blas de Ledesma la hizo Sterling
en la obra citada en la nota n.º 3 de este ensayo y antes en el *Catálogo* de la
Exposición de la *Naturaleza muerta* celebrada en la *Orangerie des Tuilleries*
—París, 1952—. Hemos precisado más sobre esta rectificación en nuestro libro
Amor, Poesía y Pintura en Carrillo de Sotomayor —Granada, 1968, págs. 125
y siguientes—, al hablar de Pedro de Raxis y la pintura en Granada a comienzos del siglo xvii. Ahí documentamos la actividad de Blas de Ledesma en
Granada en 1614. Desde luego hay que reconocer ciertas semejanzas entre los
bodegones conocidos de éste y los del lego cartujo; pero también resulta claro

Sánchez Cotán. *Bodegón*. Colección particular. Madrid.

Sánchez Cotán. *Bodegón*. Museo de San Diego. California.

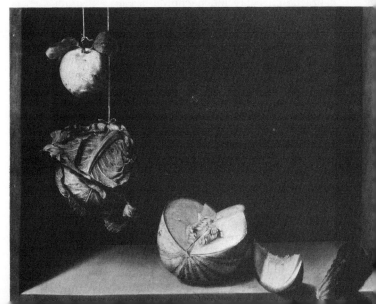

el mismo crítico, viendo ahí la transmisión del caravaggismo, es igualmente problemático; porque lo que se da como obra de Labrador, es verdad que recuerda algo los bodegones del Merisi, pero precisamente en lo que tiene de distinto y hasta de contrario de concepto en relación con los de Cotán.

Bien mirada, la creación de Cotán es de una significación aun más violentamente anticlásica que la que ofrece —con su reducido número de bodegones— el propio Caravaggio; y, por otra parte, sólo explicable en España. El mismo Sterling que ha vuelto a insistir en el influjo del italiano sobre el cartujo— reconoce la limitación que supone en los bodegones de aquél el hecho de que sólo representen flores y frutas. Su realismo se ha contenido sin atreverse a descender a lo humilde y elemental; lo que es explicable, por otra parte, en el ambiente de idealidad de la Italia de su momento. En España, en la que, sin más atracción que la de la vida y de lo humano en sus aspectos más contrarios, ya hacía varios años que, rompiendo todas las jerarquías, se había levantado como protagonista de una novela la humilde figura de un pobre muchacho de la calle —pensamos en el *Lazarillo de Tormes*, auténtico arranque de la novela moderna—, no es de extrañar que con paralelo rompimiento en la jerarquía social de lo literario al pintar lo inanimado, se levantara también la más humilde verdura hasta convertirse en objeto central del cuadro. El arte y la literatura que en la representación de lo humano no reconocieron fronteras ni jerarquías, que se sintieron atraídos por la vida y por lo humano individual descendiendo hasta la figura del pícaro

---

el carácter más propiamente decorativo de las obras de aquél. No olvidemos que Pacheco celebró a Ledesma como pintor de grutescos. No es posible afirmar rotundamente que esas semejanzas se deban a influjo de Cotán sobre el artista de Granada —o que trabajaba en Granada—, aunque sea probable. No nos atrevemos a afirmarlo, porque en Granada existía una tradición de pintura decorativa de frutas que ofreció, antes de 1585, una muestra importante como es el llamado «Cuarto de las frutas» en las habitaciones de Carlos V —en la Alhambra—, que fue muy celebrado por los poetas, incluido Góngora. Aunque se trate de la pintura de rosetones de un techo, se ofrecen como ramos, colgando, con efecto de relieve y corporeidad. Es posible que el autor de estas pinturas fuera el maestro, o influyera, en Blas de Ledesma.

y del idiota —que, como dice muy bien Lafuente, están proclamando «su insobornable autonomía espiritual, el derecho perenne a su propio yo y a su definitiva salvación personal»[12]—, era el que podía dar vida a un tipo de cuadro que en la representación de lo inanimado no acepta grados impuestos por el adorno, el lujo o lo bello y eligiera los más humildes productos de la naturaleza, que, igualmente, proclaman a voces la razón de su existir como criatura de Dios.

Si por los elementos que integran estos bodegones se nos distancian el italiano del español, aún se separan más atendiendo a su sentido de la composición. Es verdad que los dos parten de los mismos puntos y supuestos artísticos de la tradición medieval y del manierismo; que los dos ofrecen como antecedente en su propia obra cuadros de figuras en visión próxima, tras de una mesa en la que se presenta un completo bodegón. Pero su sentido de la composición e íntimo sentido estético está completamente dentro de su común barroquismo. Los bodegones del italiano se nos ofrecen como trozos de un cuadro que se hubiesen recortado del conjunto al producirse esa aproximación a las cosas, típica de la visión del barroco. Así, las frutas, flores, hojas y objetos con brillo y transparencias se ofrecen agrupados con libertad artificiosa buscando lo movido, enredado y contrastado de luz, forma y color. Frente a ellos, los sobrios elementos del bodegón de Cotán —en el que se prescinde de lo artificial— se agrupan bajo un sentido de la composición de la más fuerte unidad, acentuado incluso por ese desnudo encuadramiento de ventana que los encuadra reforzando la función aislante del marco. Sobre un oscuro fondo las cosas se ofrecen con una apariencia de estar simplemente puestas, procurando perfilarlas íntegramente, sin superponerse ni enredarse, cual si reclamaran toda su individualidad; pero distribuidas por una armónica ordenación oculta y superior. Cuando Martín Soria publicó el bodegón del Museo de San Diego, donde esta claridad de composición resplan-

12. ENRIQUE LAFUENTE FERRARI: *El realismo en la pintura del siglo XVII.* En *Historia del Arte.* Barcelona. Labor, pág. 24.

dece culminante, subrayaba el sentido matemático que ofrecen los objetos por su juego de volúmenes y por su distribución en forma de parábola. Sin embargo, habría que matizar su fino comentario subrayando que es más un oculto
ritmo interior que un formal compás matemático lo que
preside su concepción[13]. Con finura y comprensión lo ha
observado Sterling al recordar este aspecto: «la Geometría
—dice— no está al servicio de la razón, sino al servicio del
ensueño. Es una geometría lírica, bien extraña a Descartes.
Lejos de introducir la claridad en la realidad, la hace enig-
mática. Sólo España —concluye— ha podido imaginar tales
naturalezas muertas».

Como decíamos antes, ese profundo realismo y ese sentido
barroco de sus bodegones no se impone en sus cuadros de
figuras, en los que se ofrece como nota dominante los rasgos
de lo común de su tiempo: ese arte clasicista de formas ya
cansadas e inexpresivas; pero descubriendo siempre una
fuerte resonancia de medievalismo —explicable no sólo por
el ambiente toledano en que se forma, sino también por el
fondo de su alma, que se reforzará en la quietud de la Cartuja— y, unido a ella, esos arranques de barroquismo que
vienen, así, a enlazar el realismo de la pintura hispano-fla-
menca del siglo xv con el de la nueva época, que precisamente
se inicia con Cotán. Así encontraremos en escenas representadas con toda espontaneidad y sencillez, incluso llegando
a la anécdota infantil, la aparición de figuras totalmente
inspiradas por el arte veneciano o por los pintores manieristas
de El Escorial. Y junto a ello, la minuciosidad descriptiva, la
pintura de calidades o la forma de narrar de verdadero primitivo flamenco. Se trata, pues, de un arte complejo y sin-
crético, paradójicamente, de profundas supervivencias y vio-
lentos arranques o anticipos; y precisamente esa complejidad supone, como ya anotábamos, el refuerzo de su visión
realista que, además, se expresa por un alma sencilla y clara
—alma de cartujo— que sólo intenta hablar sincera y clara-

---

13.   Martín S. Soria: *Sánchez Cotan's quince, cabbage, melon and cucumber.*
En *The Art Quarterly.* Summer, 1945, págs. 225 y sigs.

mente. De aquí surgirá su segura técnica; de este fondo todo
sinceridad y honradez, cuyo lenguaje no brota como con-
vención o acomodo a fórmulas previstas, sino como expresión
directa, dictada por la estructura y calidad de los objetos a
representar. Pocas veces una técnica llegó, así, con sus propios medios pictóricos, con las posibilidades del color como
materia y los recursos del pincel —por la forma, empaste,
grueso o dirección de la pincelada—, a conseguir tan eficaz
efecto de las más varias calidades: lo blando, lo terso, lo
rugoso, lo brillante o lo opaco. Los objetos llegan a impresionar como reales hasta excitar la sensación táctil.

Pero junto a toda esa fuerza y exactitud en la representación de lo externo, hay algo más: lo que le da su último y
profundo sentido. Ya hemos visto cómo en todo comentario
de sus bodegones hay que terminar refiriéndose a algo
interior y oculto como fundamento de la emoción religiosa
e incluso mística que de ellos se desprende. Porque si, en
general, es insuficiente el término realista referido a los varios
aspectos de la cultura española, lo es de manera especial
referido a la pintura de Cotán; aun marcando quizá en la
historia de nuestra pintura la nota extrema en la reproducción fiel y minuciosa de lo finito y lo material. Ello nos obliga
a analizar este realismo a la luz de la espiritualidad religiosa
que lo determina y sugiere.

Aparentemente, el enlace de estos dos conceptos: realismo
y religiosidad, supone una contradicción; en parte porque
al decir realismo tendemos a considerar sólo lo material y
concreto de la realidad, olvidando que hay un realismo de
lo interior que, precisamente, se exalta en lo español. Pero,
en general, tendemos a esa consideración, porque el mundo
de la realidad natural se nos aparta de la realidad espiritual
y sobrenatural. Nuestro arte y nuestra literatura vienen a
demostrar cómo cabe hasta el caso del más riguroso realismo de lo concreto, de la materia, yuxtapuesto o sugiriendo
lo infinito y eterno.

Pocos ejemplos podrían confirmar mejor que la pintura de
Cotán cómo el sentimiento religioso acude a la obra de arte
como algo ajeno al tema representado; cómo es algo más

íntimo y profundo que puede no conseguirse aun por el artista creyente que pinta un importante asunto religioso. Toda la pintura de nuestro artista es religiosa; pero incluyendo cuando pinta paisajes, flores o bodegones. No pone una atención distinta cuando representa una figura celestial o divina o cuando pinta un cardo o la hoja de un árbol. Al verle equiparar la pintura del cuerpo de un Cristo o del rostro de la Immaculada con la de una fruta o de un trozo de pan, no hemos de ver en ello sólo barroquismo, aunque también cabe hablar de un sentido religioso en la esencia de este estilo; la razón espiritual de ello es, paradójicamente, de un profundo sentido cristiano: todo se le ofrece como surgiendo de un mismo creador. Y hasta sentiría al hacerlo, al pintar con todo primor unas florecillas silvestres, la emoción de la resonancia de las divinas palabras: «Yo soy la flor del campo y el lirio de los valles». No podía olvidar —y menos él, que tras la experiencia de la visión sobrenatural se dirigiría con más fe a la naturaleza— que Dios —según insistía un escritor hermano suyo en religión— está «en todas las criaturas dándoles sed y obrando en ellas... donde quiera que vuelva los ojos»; e incluso cuando come «está realmente en aquel manjar dándole... la virtud del sustento y el sabor del gusto» [14]. Por esto el pintor tenderá a suprimir de sus bodegones lo artificial, los objetos o cosas donde la mano del hombre se ha superpuesto a la del Creador. Y estos elementos naturales, por otra parte, al perfilarse, pendientes o en el borde de una ventana, sobre un fondo negro, parecen querer sugerir que surgiendo de la nada se asoman a nuestro mundo para que las contemplemos.

Pero no es sólo esta religiosidad de la visión trascendente y del sentimiento cósmico de la naturaleza propia del alma del cartujo lo que le da el profundo aliento cristiano a la pintura de Cotán: hay algo más propio y básico de la creación artística que afecta a lo morfológico, a lo expresivo y hasta a la formación de la técnica. La expresión del sentimien-

---

14. ANTONIO DE MOLINA: *Exercicios espirituales de las excelencias, provechos y necesidad de oración mental.* Barcelona, 1776, pág. 88 (1.ª ed. 1613).

to religioso en el arte del cartujo se liga menos a la exaltación expresiva, extática y patética del Barroco que a la actitud tranquila, espontánea y natural de la Edad Media. En su concepción del arte y en su actitud ante el mundo, Cotán pertenece, sobre todo, a lo medieval; pese a todo lo aprendido del pensamiento y arte del Renacimiento. La esencia de la religiosidad de su pintura y el porqué estético de cómo, incluso, puede imprimir ese sentimiento pintando unas frutas o unas hortalizas está en ese sentido medieval. La raíz principal —como ya finamente analizara Maurice Denis— del verdadero arte religioso, lo que nos impresiona del arte medieval es «su juventud de alma, su sinceridad, su ingenuidad». Ahí radica lo que tiene de profundamente cristiano: «esta actitud sincera, ingenua, virginal, humilde frente a la naturaleza..., el carácter religioso de su objetividad». Y esto es lo que hace posible «que el instrumento, que el mismo arte sea conforme con el espíritu cristiano», «un lenguaje desprovisto de todo orgullo, de toda clase de retórica, un lenguaje que habla directamente a nuestros sentidos, a nuestra sensibilidad, a nuestra razón, y sin otro intermediario que el objeto ingenuamente representado»[15].

Arrancando en cierto modo de estos pensamientos, Maritain ha llegado a concretar las dos condiciones que le parecen exigibles a la obra de arte, que, por cierto, se cumplen plenamente en la pintura de Cotán: es perfectamente legible, y están sus obras acabadas, «en el sentido más material y más humilde de la palabra». Es trabajo «bien hecho, acabado, limpio, duradero, honesto»[16].

Se comprende tras lo dicho cómo puede existir un sentido cristiano del arte, una actitud religiosa en sí, que infunde religiosidad, aun pintando flores, frutas y objetos humildes como hacen nuestro cartujo y Zurbarán. Se colocan ante la realidad sin prejuicios ni fórmulas previstas, ingenuamente,

15. *Le sentiment religieux dans l'Art du Moyen Age.* En *Nouvelles théories.* París, s. a., pág. 152.

16. *Algunas reflexiones sobre el Arte religioso.* En *Arte y Escolástica.* Buenos Aires, 1945, pág. 138.

absortos ante la creación divina y conscientes de que el existir de lo que intentan pintar, como todo, es también índice
de la presencia de Dios. Se sienten humildemente inferiores
a la naturaleza y no intentan más que copiarla con amor.
Como veíamos sus bodegones se componen dando la sensación de que las cosas están colocadas sin artificio, destacando
su presencia como seres aislados, pero sugiriendo con su
ordenación no ya sólo el orden de una mesa de altar —como
subraya un crítico—, sino también la nota distintiva que cada
una da en el gran concierto de la armonía de la creación.

Lo dicho explica la igualdad de actitud ante los distintos
asuntos o temas; ante lo celestial y divino junto a lo terreno
y concreto. Esto es general en nuestro arte y en nuestras
letras: la figura sobrenatural penetra sin violencia en el plano
de la realidad cotidiana. En Cotán, como buen cartujo, se
extrema esta actitud de natural convivencia con todo lo
sobrenatural. Así vemos en sus lienzos cómo para el descenso
de la Reina del Cielo se prepara todo como si se fuera a recibir una alta dignidad de la Orden: se colocan las más
bellas y mullidas alfombras, los más ricos cojines y sitiales,
hasta la que parece la silla prioral, pues viene, en cierto
modo, a acercarse solícita a los monjes y legos cual si fuera
su verdadera Priora. Escenas como las de la *Imposición de
la Casulla a San Ildefonso* o la *Aparición a San Bruno de la Virgen
del Rosario* parecen tener lugar en el presbiterio de la iglesia
e incluso en la sala capitular. Se presenta, sí, como Reina
del Cielo, no con la sencillez y sobriedad en el vestir con que
se presentaba en la Visión de Madre en su paso como mortal
en Belén o Nazaret, sino con ricos mantos y túnicas bordadas
y hasta con pedrería, pero acercándose a los religiosos con
gesto dulce y cariñoso, sin hieratismo ni rigidez, sintiéndose
Ella también natural, como en su propio ambiente, en el ámbito monacal en el que sucede la escena. Precisamente para
pintar aquella Virgen premiando a San Ildefonso, era tradición en el Convento que María descendió para que la retratara[17]. El fraile pintor, ya en sus últimos años, presin-

17.   Recogió esta tradición el escritor granadino del siglo XVIII P. Chica

Sánchez Cotán. *Imposición de la casulla a San Ildefonso.*
(Fragmento.) Museo de Bellas Artes. Granada.

Sánchez Cotán.
*Virgen del Rosario con
San Bruno y sus discípulos.*
(Fragmento con
autorretrato del pintor,
a la derecha.)
Museo de Bellas Artes.
Granada.

tiendo aún más cerca los goces de la otra vida, se presenta a sí mismo, en el segundo lienzo, arrodillado en último término, ante la Madre de todos, con rostro plácido, rebosando beatitud sin extrañeza, cual si en verdad la hubiera contemplado no una vez, sino día tras día, posando, familiarmente, en su taller. El mismo espíritu rebosan las figuras de San Ildefonso y San Bruno en los citados cuadros. Nada de agitación, ni de aparatosos gestos extáticos; completamente de perfil, con las manos juntas en actitud de adoración, ligeramente separadas en el último, para recibir el Santo Rosario. Apenas si un contenido temblor altera levemente la rigidez de los dedos del santo toledano. Para encontrar en nuestra pintura representaciones paralelas equiparables, necesitamos llegar a Zurbarán, a lienzos como el del Milagro del Padre Salmerón en el Monasterio de Guadalupe.

Las razones principales que explican la religiosidad de sus bodegones ya quedaron dichas; pero conviene subrayar algún otro punto en relación con su exaltado realismo. Una luz dura, de vigoroso tenebrista y una atmósfera aislante acentúa con orden y sobriedad ascética sus elementos. Estos, desde que el pintor ingresó en la Cartuja, se reducen a los alimentos que permite la Regla; de aquí esa perfecta correspondencia con el espíritu monástico, y el que podamos suponer se decoraron con ellos las paredes del refectorio. Desde allí, las zanahorias y cardos, pintados con todo el amor y respeto que merece una criatura de Dios, estimularían, como decíamos, al monje sentado a la mesa, a gustar y hasta saborear aquellos trozos de verdura que tenía ante sí en su pobre escudilla, invitándole a la moderación y a la abstinencia. Nada más opuesto a ello —hemos dicho varias veces— que los opulentos bodegones que crea casi en la misma fecha la pintura flamenca que, como decía Friedlander, pare-

---

Benavides. Nos dice que se la contaron los religiosos de la Cartuja: «notaron algunos monjes —relata— las ventajas que hacía aquella pintura a otras que había hecho y le preguntaron: ¿Por qué aquélla excedía a las otras? Detúvose en responder, pero al fin satisfizo diciendo, que la había copiado de su mismo original; dando a conocer que guiaba o dirigía su pincel su conocida virtud». *Gacetillas curiosas*. Granada, 1765. Papel XL.

Sánchez Cotán. *Virgen del anillo*. (Fragmento.)
Convento de la Encarnación. Granada.

Sánchez Cotán.
*Virgen despertando
al Niño*. Museo de
Bellas Artes. Granada.

Sánchez Cotán. *Cartujos presos en la Torre de
Londres*. (Fragmento.) Cartuja de Granada.

cían destinados «a servir de alimentos a aquellos hombres musculosos y a aquellas mujeres exuberantes de Rubens» [18] —; estos parecen hechos para alimentar ascetas, para alimentar a los monjes pálidos y demacrados de fray Juan Sánchez o de Zurbarán. No olvidemos que el cartujo contempla en el refectorio los alimentos sobre la mesa, consciente de que está realizando un acto santificado. El comer en comunidad —los días que corresponden— es en verdad un acto en un todo ligado a las ceremonias y usos litúrgicos de la vida conventual [19].

La síntesis y culminación de la expresión de ese alma de religioso pintor y pintor religioso se nos revela en su integridad en su *Virgen del Anillo*. Aparece María con el Hijo en sus brazos que ofrece al alma el anillo para sus desposorios espirituales. Tras de Ella, una ventana abierta a un cielo azul sobre el que se perfilan una rama de naranjo y un enredado jazminero cuajado de flores en el que posan varios pajarillos. Reforzando ese sentido barroco de composición desbordante comunicativa proyectada hacia fuera, que se expresa en el gesto del Niño, sus palabras —con rasgo de medievalismo— se descubren junto a su mano: «Veni electa mea et ponam in te tronum meum». Pero aún con más intensidad se reitera esa llamada con el gesto de María que con viva mirada fija sus ojos en el que la contempla como esperando la respuesta. Y para completar el poder de atracción hacia la vida espiritual a la que llama, todas las seducciones de la naturaleza, se seleccionan y condensan en ese fondo sugeridor y excitante de flores, pájaros y frutas: el dulce canto de

18.　Max J. Friedlander: *La Pintura del siglo XVII en los Países Bajos*. En *El realismo de la Pintura del siglo XVII*. «Historia del Arte. Labor». Trad. M. Coello. Barcelona, 1935, pág. 29.

19.　Un moderno comentador de la vida cartujana señala cómo «este acto de comunidad tiene la misma consideración que un acto de coro. Por esto la refección queda ligada a la función celebrada en la Iglesia, de la que se sale en un momento del Oficio, y a la que se vuelve después como si la refección fuese una parte de éste. El mismo Padre que durante la Misa conventual consagró el Pan eucarístico sobre el altar del sacrificio, bendice sobre la mesa común el pan material». Antonio González: *Estampas cartujanas*. Bilbao, 1947, pág. 144.

las avecillas, la suave fragancia de los jazmines y el rico aroma
de la naranja. Es la expresión de la fuerte llamada hacia
Cristo con María, en el silencio y soledad de la más bella
naturaleza, cual sólo podía sentirla un alma de cartujo; se
reunen aquí todos los amores del cartujo que en este caso
coincidían, identificándose, con todos los amores del pintor[20].

20. Como hemos comentado en otros trabajos, ante una composición
como ésta, con la especial valoración de los elementos de la naturaleza, pintados con preciosa y amorosa exactitud, es obligado pensar en fray Luis de
Granada y concretamente en las descripciones de la primera parte de la *Introducción del Símbolo de la Fe.* En el ambiente espiritual de la Cartuja sabemos fue
autor preferido, junto con San Juan de la Cruz; pero aun antes del ingreso
de Cotán en ella debió de ser lectura acostumbrada de éste, dada su vida de
devoción; no sólo porque fue el autor más leído de nuestros escritores ascé-
tico-místicos, sino también teniendo en cuenta la relación que tuvo el artista
en sus años toledanos con religiosos dominicos. En cuanto a la visión próxima
y analítica de los elementos de la naturaleza, el escritor se adelantó a los pintores del Barroco, y en este caso de Cotán también se anticipa el dominico
en adoptar la actitud religiosa y humilde de admiración y amor ante las bellezas y perfecciones de la creación que le lleva a la más exaltada valoración
de plantas, frutas y flores e igualmente de los animales. Ante el naranjo con
la fruta pendiente que encuadra esta composición, podemos recordar trozos
del punto 3.º del Capítulo X de dicho libro. He aquí uno: «Pues la hermosura
de algunos árboles, cuando están muy cargados de fruta ya madura, ¿quién
no la ve? ¿Qué cosa tan alegre a la vista como un manzano o camueso, car-
gadas las ramas a todas partes de manzanas, pintadas con tan diversos colores, y echando de sí tan suave olor?» Y ante el frondoso y oloroso jazminero
del lienzo, ¿quién no piensa en las descripciones de flores que hace el dominico
para hacernos comprender «que no sirven para mantenimiento, sino para
sola recreación del hombre?» «Porque ¿para qué otro oficio —nos interroga
en expresión desbordante comunicativa prebarroca— sirven las clavellinas, los
claveles, los lirios, las azucenas y alhelíes, las matas de albahaca, y otras
innumerables deferencias de flores (de que están llenos los jardines, los montes,
los campos y los prados) dellas blancas, dellas coloradas, dellas amarillas,
dellas moradas, y de otras muchas colores, junto con el primor y artificio con
que están labradas, y con la orden y concierto de las hojas que las cercan y
con el olor suavísimo que muchas dellas tienen?» La pregunta que tras ello
nos hace el dominico es en el fondo la misma que nos hace el pintor: «Para
qué, pues, sirve todo esto, sino para recreación del hombre, para que tuviese
en que apascentar la vista de los ojos del cuerpo, y mucho más los del ánima,
contemplando aquí la hermosura del Criador...?» Y ante los pajarillos que
animan con su delicada belleza el fondo de la Virgen y el Niño, sugiriéndonos
el apacible goce del canto, podemos también recordar las consideraciones
que se hace —y nos hace— fray Luis en el punto III del Capítulo XII del mismo
libro. «Cuando vemos deshacerse la golondrina, y el ruiseñor, y el sirguerito,

Sánchez Cotán.
Anunciación. (Fragmento.)
Museo de Bellas Artes.
Granada.

Cuando Cavestany comentaba los comienzos de nuestra pintura de bodegones reconocía que Cotán, «a caballo entre los dos siglos, impone estos cuadros en la pintura española»[21]. Nadie puede discutir al fraile pintor no sólo esta gloria de fijar un tipo de cuadro, sino incluso la de darnos ya su culminación[22]. Sin él no podríamos explicarnos esa visión

y el canario cantando, entendamos que si aquella música deleita nuestros oídos, no menos deleita el pajarico que canta».

Bien es verdad que ese gusto por la pintura de flores, frutas y animales acompañando la composición religiosa la encontró ya Cotán en la pintura de Toledo —de ahí proceden también las flores que el Greco pone al pie de la *Asunción*—, pero no es menos verdad que, aparte el paralelismo, o estímulo que ese gusto ofrece con los textos citados, que ahora se da una plena integración compositiva, con el efecto real de que la Virgen está sentada con su hijo ante una ventana que abre a un huerto —y no la mesa o pretil en que se colocan objetos, como en el esquema compositivo medieval y manierista—, y, además, que esa integración es no sólo de visión de realidad. Hay una integración expresiva espiritual según comentamos en lo expuesto arriba, pues la llamada del Niño al alma es para atraerla a Él; pero también a la soledad de la naturaleza en el claustro; y todos los encantos de esa naturaleza seductora de todos los sentidos igualmente la están llamando. Juegan pues esos elementos idéntica función expresiva comunicativa desbordante —propia de la estética barroca— que el gesto y movimiento del Niño, la mirada de la Virgen y las palabras que se perfilan junto al anillo. Naturalmente que como ejemplo de antecedente literario de los bodegones de Cotán, nada es más valioso que la famosísima descripción de la granada que hace fray Luis en la citada obra.

21.   JULIO CAVESTANY: *Floreros y bodegones en la Pintura española. Catálogo ilustrado de la exposición.* Madrid, 1936-1940, pág. 27.

22.   Aparte la importancia decisiva de fray Luis de Granada como antecedente del sentido de aproximación a las cosas y destacarlas como objeto central que supone la concepción del bodegón barroco, es de señalar —según hemos comentado en otro lugar— que, en general, esa valoración de los elementos humildes de la naturaleza se nos ofrece en los escritores ascéticos y místicos, preferentemente en los franciscanos, incluso con anterioridad al famoso dominico. Así recordábamos cómo fray Francisco de Osuna —que tanto influyó en Santa Teresa— con frecuencia, en sus *Abecedarios espirituales*, destaca los humildes elementos de la naturaleza como términos de comparación para explicar lo espiritual. Con ello el objeto real adquiere una fuerza que hace atraer hacia él nuestra mirada. Así lo vemos cuando hablando del misterio de la gracia nos dice que se recibe *cerrada como melón;* de la debilidad del hombre, *como un espárrago sobre la tierra;* del bueno entre los malos *como rosa entre espinas* o *como castaño en medio del espinoso erizo;* o, en general refiriéndose a los *misterios secretos* del amor divino que se encuentran en su *"Cuarto Abecedario" como un huevo cerrado que no basta ingenio para desatar sus sellos.*

emocionada que de las cosas de uso cotidiano nos ofrece
Zurbarán, tampoco la obra ya más popularizada y en serie
de pintores como Loarte y Van der Hamen; y menos aún
la de un artista como Felipe Ramírez, que —copiando literal-
mente elementos de sus bodegones— parece quiso continuar
en ambiente de elegancia y de mundo la creación del cartujo.
La conclusión es de subrayar: nuestros mejores pintores de
bodegones de éste derivan, y lo mejor de sus obras es casi
siempre lo que queda más cerca del modelo cotanesco. Pero
el realismo profundo y trascendente del cartujo sólo en parte
persistirá en ellos. Siguen, sí, aquel tipo de bodegón, pero
despojándolo progresivamente de severidad y ascetismo, de-
teniéndose cada vez más en la realidad y apariencia de las
cosas, acentuando el carácter de cuadro de decoración. Así
se recargan en sus elementos, se da franca entrada a lo artificial y se aumentan, con caza, carnes, pescados y dulces, los
sobrios alimentos del bodegón cotanesco. Supone, pues, una
mengua de los valores esenciales de éste; aunque siempre
queda una cierta grandiosidad y la emoción que le da a las
cosas esa luz metafísica que atribuye Sterling a los españoles.
Sólo Zurbarán logrará matizar la creación, conservando lo
esencial, pese a que tiende a una visión más simplificadora
que analítica de la realidad; pero como decíamos, mantuvo
ante las cosas la misma actitud absorta y humilde, consciente
de que en ellas estaba la verdad artística y también la verdad
religiosa. Dio franca entrada a lo artificial en sus bodegones,
pero no con el tono decorativo y suntuoso, impuesto por el
ornato o el lujo; nada de objetos ricos ni de puro adorno,

Y en pleno Barroco ya con más morosidad descriptiva en la comparación
veremos a fray Antonio Ferrer en su *Arte de conocer y agradar a Jesús* —Ori-
huela, 1631— que compara el alma que tiene la amargura de la culpa con
«una cidra que ha de confitar el confitero [que] primero la tiene a remojo
algunos días». Las comparaciones con las cosas humildes y objetos materiales de la vida cotidiana son abundantísimas en todos nuestros escritores religiosos a veces en las asociaciones más violentas y caprichosas. Por eso a
nuestro juicio constituyen un importantísimo antecedente del conceptismo
poético y concretamente del más extremado y expresivo de Alonso de Ledesma.
Sobre todo esto véase nuestro trabajo *La Literatura religiosa y el Barroco*, incluido en el libro —ya citado también— *Manierismo y Barroco*, págs. 91 y sigs.

sino las cosas sencillas de uso diario: canastillas, jícaras, cacharros de barro o platos de peltre. Las cosas de todos los días, que, como decía Sánchez Cantón, se valoran «no con menosprecio ni horror ascético hacia la materia, sino como lo indispensable a Dios debido y a Dios agradecido»[23]. En visión monumental todo se agrupa con ese orden y claridad de lo cotanesco, aunque ya no pensamos tanto en el adorno de mesa de altar como en el arreglo de una sencilla —no pobre— y tranquila casa. Porque ya no nos sentimos tras las tapias de un monasterio cartujo, sino en ambiente de hogar; no hay rigidez ascética de monje, sino sobriedad de familia cristiana. Pensemos en el bodegón de la Colección Contini; hay en él emoción y goce humano de las cosas. En aquella rosa colocada en el borde del plato descubrimos que acaban de dejarla unas manos, y que posiblemente son unas manos de mujer: la que limpia y ordena las cosas en ese tranquilo hogar; una mujer que también debía sentir que «entre los pucheros anda el Señor». He aquí el rasgo zurbaneresco que matiza el bodegón de Cotán: esta alusión emocionada y callada a lo humano.

En cuanto a las creaciones de Loarte, ya Cavestany indicó cómo «seguía a Cotán con bodegones reciamente castellanos en diseño y color»[24]. Es extraño, cómo Méndez Casal quiso relacionarlos con el arte sevillano, a pesar de conocer los documentos que demostraban su estancia y muerte en Toledo[25]. El cambio esencial que con él se produce es el indicado recargamiento y, junto a ello, la entrada creciente de la caza, carne y pescado, y el asomo de lo artificial, pero lo mejor suyo es lo compuesto con la claridad, orden y sobriedad de su modelo.

Aunque más distante, y quizá sólo indirectamente a través de Tristán, también alcanzó algún eco de la creación cotanesca al pintor de frutas y flores Pedro de Camprobín.

23. Francisco J. Sánchez Cantón: *La sensibilidad de Zurbarán.* Granada, 1944. pág. 14.

24. *Ob. cit.*, pág. 28.

25. Antonio Méndez Casal, *El pintor Alejandro de Loarte*, en *Revista española de Arte*, diciembre, 1934, pág. 196.

Sánchez Cotán. *Adoración de los pastores.*
(Fragmento.) Museo de Bellas Artes. Granada.

Sánchez Cotán. *Bodegón del cardo.*
Museo de Bellas Artes. Granada.

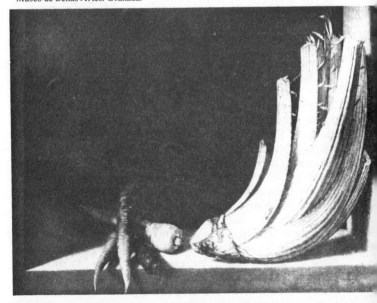

Temperamento más frívolo y mundano, parece contenido
por la adustez y sobriedad de los bodegones del cartujo.
Incluso sus cuadros de flores tienen una sobria elegancia
—cual si los hubiese hecho un melancólico Zurbarán cortesano— que puede deberse al antidecorativismo y trascen-
dencia de dichos modelos.

Fuera de lo toledano, el caso de Juan de Van der Hamen es
de los más importantes a señalar. Encontramos en sus cuadros
de bodegones el tipo de composición encuadrada en la ventana, con luces idénticas y con la clara ordenación de sus
elementos; aunque ya aquí —con concepción artística más su-
perficial— hay más de simetría y compás que de ritmo e
íntima composición. Continúan algunos elementos idénticos,
como las frutas colgadas e incluso análogos grupos de peros
pendientes de hilos; pero la transformación esencial que señala es la franca entrada de los elementos artificiales —loza
y cristal— que dejan su huella en la representación de alimentos, sustituyendo lo elemental —recordemos el pan y el
queso de Cotán— por los bizcochos, dulces y roscos primorosamente adornados. En suma, es otro paso a lo decorativo,
que se hará dominante en las obras de taller. Entre todos
esos elementos, a nuestros ojos de hoy, las cajas de mazapán
nos hacen pensar en Toledo, cual si quisiesen recordarnos
la procedencia del tipo de bodegón del que derivan.

Destaquemos, para terminar esta rápida anotación del
influjo del bodegón cotanesco, el precioso cuadro de Felipe
Ramírez, hoy en el Museo del Prado. El artista, que debía
conocer también los bodegones del pintor castellano anteriores a su ingreso en la Cartuja, ha sabido gustar sus valores
pictóricos; ha mantenido su sentido de la composición; ha
visto sus posibilidades como cuadro de decoración conser-
vándole su monumentalidad y hasta parece que ha comprendido también la lección dada por el cartujo uniendo la flor
elegante y simbólica con la humilde verdura. Todo ello por
instinto de pintor; de pintor que vive en el mundo y que
pinta para el mundo. Esta es, para nosotros, la misión de
este fino artista; esto viene a significar este espléndido bodegón: reintegrar al mundo el cuadro que Cotán, en el si-

lencio y retiro de la celda, había convertido en suprema invitación de ascetismo y misticismo. Ha perdido mucho de la nota ascética grandiosa y sobria; pero ha ganado en flexibilidad y jugosidad: la nota andaluza que imponía su alma de sevillano, y también un arte más halagador y decorativo. La gula, la riqueza y el adorno han reclamado su parte; ha vuelto a aparecer la caza, y una preciosa copa ocupa el centro; pero no se le entrega todo. Frente a lo carnal, báquico y festivo que representan la caza, las uvas y la rica y adornada copa, están el cardo recordándonos la abstinencia y están los simbólicos lirios que nos evocan a Cristo. Es, como decíamos, una última forma de la creación de Cotán: la vuelta a lo mundano y elegante del bodegón ascético, pero sin caer en la pura ornamentación: flota en él todavía una ligera emoción religiosa, de esa religiosidad profunda que, junto al más exaltado realismo, se extremó precisamente pintando lo más humilde y elemental, por un lego pintor al que toda la comunidad llamaba «el Santo fray Juan».

III. BARROQUISMO Y RELIGIOSIDAD
EN EL «JUICIO FINAL» DE MIGUEL ANGEL

Publicado en la «Revista de Ideas Estéticas». Números 82 y 83. Madrid, 1963.

RELIGIOSIDAD Y EXPRESION ARTISTICA:
LA PINTURA COMO SERMON REPRESENTADO

Todas las veces que he entrado en la Capilla Sixtina, siempre abarrotada de gente de todas las naciones y razas, en medio del más confuso y ensordecedor hablar y gritar de cicerones que quieren imponer sus voces sobre sus grupos, mezcladas con las exclamaciones, llamadas y preguntas en las que se cruzan las expresiones y palabras de las más distintas lenguas, me ha parecido que toda esa revuelta masa de gentes, procedentes de las más distintas partes del mundo, estaban dando el pleno sentido a la expresividad de la gran obra de Miguel Angel que aparecía como fondo. Es la obra hecha, antes que nada, para impresionar como terrible aviso a todos los mortales, haciendo ver el inevitable momento en que sin distinción de razas ni de clases habremos de encontrarnos ante el Cristo juez, en la total desnudez de alma y de cuerpo para recibir la salvación o el castigo eterno. Diríamos que la Capilla toda se ha convertido en un teatro, cuyo escenario lo constituye la gran composición. Todos los que en masa contemplamos la obra —como el conjunto del Colegio cardenalicio cuando lo contemple a solas— constituimos el público que asiste a la gran representación. Pero el drama que se representa tiene una fuerza y poder sugestionador que no puede tener ninguna ficción imaginativa, ni aun la historia auténtica del pasado por muy trascendental que sea; es el gran drama futuro, pero cierto, inevitable y definitivo que ha de desarrollarse en este mundo. A él estamos asistiendo por el momento como público, como meros espectadores; pero no nos puede dejar indiferentes, porque sabemos que en él hemos de intervenir como actores. Su expresión es desbordante; somos un término vivo de la composición: los que tenemos que morir y resucitar, como los que están saliendo de las tumbas ante nosotros. La obra pide que la contemplemos, no como críticos o amantes del arte, sino como cristianos. Porque quien allí habla, habla, ante todo, como cristiano; y como cristiano que, sobre todo, expresa su propia angustia e inquietud en forma apasionada, voces; voces estentóreas, de llamada, de aviso o admonición, dirigidas a la cristiandad toda y más en concreto a la más próxima, a su cabeza, a la propia Iglesia Romana.

La impresión de desconcierto, asombro y terror que produjo en las gentes cuando lo contemplaron por primera vez está descubriendo cómo la obra entraña una nueva forma de expresión, de fundamento distinto al de la creación artística clásico-renacentista. No fue sólo el asombro ante lo colosal y gigantesco, ante la maestría de la obra de enormes proporciones. Era la nueva forma de representar el tema, el nuevo sentido de la composición, la nueva concepción del espacio, el nuevo sentido de la pintura mural como plena ficción, que no sólo no respetaba el sentido arquitectónico, plano, del muro, sino que, violenta y decididamente, quería dar la impresión de que éste faltaba, de que se había abierto totalmente la capilla y que a través de los aires caían o ascendían a racimos los hombres a impulso de una fuerza incontenible que parece emanar de la imponente y terrible figura de Cristo, que con toda su corte celestial, suspendido en los cielos, centra y se impone sobre el conjunto. La obra, en suma, hablaba al espectador de una manera distinta a como hasta entonces había hablado el arte del Renacimiento. Pero si los medios expresivos eran distintos, ello obedecía a que era distinto lo que el artista tenía que decir, y distinta, en consecuencia, la forma como quería actuar sobre los contempladores.

El profundo cambio que representa el *Juicio Final* con

respecto a toda la pintura anterior de Miguel Angel está
indicando que la obra obedece a unas razones profundas na-
cidas no sólo de una necesidad artística, sino, sobre todo, de
unas exigencias espirituales que se imponían a su alma de
cristiano. Su preocupación religiosa le impedía enfrentarse
con el tema con unas miras sólo de artista. Quien sentía la
religión como él, había de representar el sublime y decisivo
momento del juicio final dejando actuar plenamente sobre
el pintor el alma del cristiano.

Es verdad que el tema no lo eligió el artista; le había sido
dado por el Papa Clemente VII, y si éste lo pidió así, es necesario
reconocer, con más de un crítico, que las intenciones del
Papa obedecían a una honda preocupación religiosa, a una
razón no estética, ni para enriquecer la capilla; por el contrario, alteró con ello el plan del conjunto de su decoración.
Como es sabido, hubo que destruir dos pinturas del Perugino
e incluso dos lunetos del propio Miguel Angel. Al suprimir
esas pinturas se dejaron incompletos los ciclos narrativos
desarrollados en los restantes muros de la capilla. Además, el
lugar señalado por el Papa para este tema del *Juicio* resultaba
completamente extraño en la tradición iconográfica medieval.
El Renacimiento, significativamente, se había olvidado del
tema. Hubo, pues, indiscutiblemente una especial intención.

Como bien relata Redig de Campos, que aludiendo a lo
dicho ahonda en una idea ya señalada antes más de una vez,
sobre todo por Mariani, «sólo una razón muy grave podía
determinarle a actuar de esta manera, y todo lleva a creer
que ésta fue el deseo de recordar a los cristianos la presencia
de Dios, demasiado fuertemente olvidada en la euforia del
Renacimiento, y de dejar una memoria penitencial —por
así decir— del Saco de Roma; un recuerdo del castigo pasado
y una advertencia de Aquel que espera a todos los hombres
ante el Tribunal de la estricta justicia en un mundo nuevo
donde en vano buscará los tres remedios experimentados de
los sufrimientos humanos: el tiempo, el perdón y la muerte»[1].

---

1.   Trois aspects du «Jugement dernier» de Michel Angel. En *La Table
ronde*. París, 1957. Fevrier, núm. 110, pág. 87.

El hecho de que Paulo III, ante el dibujo de la composición, ordenara al artista ejecutar *sin cambiar nada de la composición ni de la idea* de lo que le había sido ordenado por su antecesor Clemente VII, anteponiéndolo a proyectos o propósitos personales, está indicando que veía en la obra una especial significación religiosa.

Si el tema arranca de una especial circunstancia histórica, su interpretación y concepción obedecen a una personal vivencia e inquietud religiosa del alma atormentada de Miguel Angel. Los principales impulsos que actuaron en la creación de la obra son extra-artísticos, o si queremos supra-artísticos. Recordemos cómo ello es algo expresivo del Barroco. Así, aun cuando fuera con la valoración negativa, considerándolo como vicio, caracterizó Croce el barroquismo por este cambiar la finalidad propiamente artística de la obra de arte. El Barroco —decía—, «como toda clase de feo artístico, tiene su fundamento en una necesidad práctica, cualquiera que ésta sea»[2]. Hay que reconocer que esta postura de atender a una exigencia o finalidad puesta fuera de lo artístico y de lo bello hace presencia por primera vez en la época renacentista en el *Juicio final*, de Miguel Angel.

Ahora bien, esa finalidad religiosa que como programa e intención se propone y desarrolla la Iglesia a partir de Trento a través de sus artistas, puede ser también algo espontáneo en éstos, que lo sientan —como el escritor ascético y místico— por experimentarlo como una necesidad expresiva de desahogo y como una aspiración extra-artística, sí, pero no impuesta solamente desde fuera como exigencia. Si acude a una retórica en su expresión es como medio, no siempre reflexivo y buscado. De aquí el coincidir de la estética de los escritores místicos y la estética del Barroco. Ese sentimiento de religiosidad, la actitud ante el juicio final sentida por el cristiano, arranca en Miguel Angel de su más íntimo drama espiritual. Y su forma de expresarlo es una consecuencia, un medio necesario, un lenguaje, sí, pero no una fraseología

---

2. Benedetto Croce: *Storia della Età Barocca in Italia. Pensiero Poesia e Lette-ratura...* (Terza edizione). Bari, 1953, pág. 24.

totalmente hecha. Hay retórica, pero no en su arranque, no en su motivación esencial, sino aislada o circunstancialmente, como algo que se fue produciendo a través de su realización, conforme su nuevo lenguaje pictórico se iba fijando de acuerdo con la exigencia y necesidad expresiva. Fue más una acomodación o adaptación progresiva de las formas al espíritu, y no la sola utilización de unos medios expresivos ya cristalizados.

Las formas se han hecho lenguaje para lanzar el más violento y atronador sermón que haya pronunciado jamás un predicador cristiano; más encendido y aleccionador que los que el artista oyera al gran Savonarola en la plaza de la Signoria, cuyo recuerdo cobraría profunda resonancia en su alma cuando realizaba esta obra.

Ese hecho señalado de no buscar como finalidad la belleza —es la primera obra del Renacimiento en que ello ocurre, como señaló Hauser— y esa nueva manera de concebir la composición en el espacio, junto con el sentido expresivo desbordante, comunicativo con el espectador, supone el surgir de lo esencial del espíritu y de la morfología del Barroco.

EL «JUICIO FINAL» Y EL ESPIRITU DE TRENTO Y DE LA CONTRARREFORMA

Es innegable que los esenciales determinantes de toda creación artística —aparte el que podemos considerar como una constante de sentido vertical, cual es el que representa el país o localidad donde se produce— residen en el espíritu de la época y en el alma del artista. Y en el caso del genio es este valor individual el que cuenta, especialmente, imponiéndose sobre los impulsos de lugar y de tiempo. Es claro que el coincidir del sentimiento del artista con las inquietudes y apetencias de su época vendrá a reforzar la potencia y eficacia expresiva de la obra. El estado de alma de Miguel Angel fue el esencial determinante del sentido, rasgos y elementos con que se representa su *Juicio final*; pero a él se unió también una inquietud religiosa de época, un estado de crisis espiritual, que movió el alma de Clemente VII tras el espectáculo y lección del Saco de Roma. Inquietud religiosa ésta que, con las luchas y tras la Reforma, se exalta y encauza al mismo tiempo en el Concilio de Trento. Es el espíritu de la Contrarreforma el que habla o, mejor dicho, predica con potente voz a través de la inmensa obra de Miguel Angel. La misma fuerza del sentimiento que agitaba y empujaba al artista le hizo expresarse, como el medio más adecuado, no a través de una visión y de un lenguaje de formas exclusivamente manieristas, sino de un dramático gritar plena y profundamente barroco.

El Manierismo es verdad que fue en parte el arte de la Contrarreforma, pero sólo en su aspecto negativo. Expresó más lo que había de negación o prohibición en las conclusiones del Concilio tridentino; de ahí la sobriedad, rigidez y complicación intelectualista o puramente artística que caracteriza el arte religioso de ese período. Las conclusiones o acuerdos de este carácter prohibitivo que figuran en la sesión XXV son los que se suelen destacar, como se hace, especialmente, en el gran libro de Mâle[3]; pero no se insiste lo suficiente en otros acuerdos de la misma sesión —sobre los que llamábamos la atención en la introducción de nuestro libro *Temas del Barroco*— que contienen el aspecto positivo, la función o misión que se le pide al arte. Se quiere que a través de la pintura y de las imágenes se exprese la religiosidad en una forma que sea comunicativa, que impresione y conmueva: *instruir y confirmar* al pueblo *recordándole los artículos de la fe*, y, además, moverle a la gratitud ante el milagro y beneficios recibidos, ofrecerles el ejemplo a seguir y, sobre todo, *excitarle a adorar y aun amar a Dios*[4]. La expresión de una religiosidad conforme a ese programa e intención —insistimos hoy otra vez— lleva a la necesaria relación de Contrarreforma y Barroco. Cuando Hauser, en su *Historia social de la li-*

3. EMILE MÂLE: *L'Art religieux de la fin du XVI siècle du XVII siècle et du XVIII siècle...*París. 2.ª edic. revue et corrigée. 1951.
4. *Temas del Barroco. De Poesía y Pintura.* Granada, 1947, págs. XXI y sigs.

teratura y el Arte, se plantea esta relación, llega en su penetrante razonar a conclusiones análogas. Así, aunque señala
que «cronológicamente está más cerca de la Contrarreforma
el Manierismo, y la orientación espiritualista de la época
tridentina halla en el Manierismo expresión más pura que
en el Barroco gozador de los sentidos», tiene que añadir
seguidamente: «el programa artístico de la Contrarreforma,
la propaganda del catolicismo en las amplias masas populares
mediante el arte fue, sin embargo, sólo realizada por el Barroco. Los miembros del Concilio tridentino, desde luego,
no soñaban con un arte, que como el Manierismo, estuviera
dirigido a un reducido estrato de intelectuales, sino con un
arte popular como llegó a serlo el Barroco. El Manierismo
en la época del Concilio era la forma más difundida y vi-
viente de arte, pero no representaba precisamente la orientación mejor adecuada para resolver los problemas artísticos
de la Contrarreforma. Que tuviera que ceder el paso al
Barroco —concluye— se explica, ante todo, por su ineptitud
para resolver los problemas eclesiásticos en el sentido de la
Contrarreforma» [5].

Miguel Angel, al dar expresión libre y plena a la inquietud
religiosa de su época, y a la que atormentaba su propia
alma, con su capacidad genial creó de un golpe en el *Juicio
final* una obra de pleno barroquismo. Es verdad que podemos
señalar en ella claros rasgos manieristas, pero nada del ideal
clásico renacentista de su juventud. Redig de Campos —de
los críticos que igualmente hacen radicar el cambio de estilo
de Miguel Angel en *el fervor místico que animaba su fe en el
último período de su vida*— afirma así que «el tercer estilo nace
de la urgencia de dar una voz, no importa cómo, a esta pasión
mezclada de angustia y de esperanza y no como el estilo
clásico de su madurez, del deseo de una armonía siempre
más perfecta. Su causa profunda es de orden ético, no estético, y él surge de un conflicto espiritual donde el arte cede a
la fe en una sublime derrota» [6].

    5.   Arnold Hauser: *Historia social de la Literatura y el Arte*. Madrid, s. a.,
t. II, pág. 542.
    6.   *Ob. cit.*, rev. cit., pág. 95.

Es lógico que algunos de los primeros escritos que surgen en Italia como expresión del espíritu tridentino tengan que mantener una actitud contraria en parte a la estética manierista. Federico Zeri ha podido señalar los *Diálogos* de Gilio como «la primera abierta reacción frente al Manierismo»[7]. Gilio condenará categórico y burlón las violentas actitudes de las figuras manieristas, los alardes de dibujo y complicada composición ajenas al tema religioso[8].

Al comenzar Mâle su libro sobre *El arte religioso después del Concilio de Trento* elige como ejemplo expresivo del profundo cambio experimentado en el espíritu de la Iglesia el hecho de que varios Papas hiciesen reparos o condenaran el *Juicio final* de Miguel Angel; una obra que unos años antes otro Papa había juzgado digna de la Capilla Sixtina. Sabido es cómo Paulo IV, en 1559, antes de finalizar el Concilio —y antes de morir el artista— había ordenado a Daniel Volterra cubrir algunas de las desnudeces de las figuras. Pío V hizo velar otras en 1566. Y Clemente VIII decidió deshacer totalmente el fresco, y si se detuvo fue por la petición de la Academia de San Lucas.

Aparentemente, pues, esta acumulación y exaltación de la figura humana desnuda en un tema religioso puede parecer la completa contradicción al espíritu religioso contrarreformista; puede darse, y así se ha dado muchas veces, como la muestra de un espíritu renacentista de libre culto al arte y a la belleza humana por sí. También aparentemente ese predominio del desnudo parece ser expresión de una estética clásico-renacentista que exalta lo común y genérico sobre lo anímico e individual que alienta en la pintura barroca. Sin embargo, el *Juicio final* es de un interés decisivo en la historia de la espiritualidad religiosa contrarreformista, es su

    7.   FEDERICO ZERI: *Pittura e Controriforma*. Torino, 1959, págs. 24 y sigs.
    8.   *Due Dialoghi di M. Giovanni Andrea Gilio da Fabriano...* Camerino, 1564. Claramente antimanierista en su referencia a los pintores que no sólo pintan desnudos, *anteponiendo el arte a la honestidad*, sino que «lasciando l'uso di farle devote l'hanno fatte sforzate, parendoli gran fatto di torcerli il capo, le braccia, le gambe, e parer che, più tosto rappresentino chi fa le moresche, e gli atti; che chi sta in contemplazione...», pág. 121.

primera gran expresión en el arte. Y al mismo tiempo, su significación en la historia de los estilos es precisamente la de ofrecerse como la primera gran obra de la pintura barroca. De aquí que, pese a los antecedentes medievales, se ofrezca como una composición única que influye en toda la pintura manierista y barroca como modelo insuperable. Este hecho de que su composición quede como modelo para todos los artistas —en esa época inmediata que lo sigue, de exaltación y lucha religiosa que se prolonga a través del período barroco— está demostrando lo que representaba como acierto —no sólo formal, sino de espíritu— de interpretación de este gran tema de la iconografía cristiana.

Porque no se trata sólo del reconocimiento de la excelsa valía artística; ni menos aún que presten su conformidad a la representación del desnudo en la forma hecha por el maestro. Lo mismo que la Iglesia, pintores y tratadistas lanzan este reparo —aparte otros de carácter teológico y escriturario— por lo que estimaban falta de *decoro* en la representación de un tema religioso. Todos censuran las desnudeces, pero ninguno pudo olvidar la composición valorándola como modelo y elogiando al artista. Es bien expresivo que un artista como Sánchez Cotán —de los que en España marcan el decisivo paso al Barroco—, de tan profunda religiosidad, que ingresó en la Cartuja y murió en opinión de santidad, tuviera en su taller «un Juicio de Miguel Angel de papel con bastidor»[9].

Cuando Mâle estudia la nueva iconografía postridentina afirma al llegar a este punto: «La escena del *Juicio final* parecía haber recibido del genio de Miguel Angel un carácter de eternidad: en adelante la imaginación de los artistas, como la de los fieles, no estará libre»[10]. En todas partes y lo mismo en el lienzo que en el fresco, en el dibujo y en el grabado, evitando más o menos las desnudeces, todos lo recuerdan.

9. Documento publicado en *«Floreros y bodegones» en la Pintura española.* Catálogo ilustrado de la exposición, por Julio Cavestany. Madrid, 1936-1940, pág. 136.

10. *Ob. cit.,* edic. cit., pág. 238.

Incluso un artista como Rubens, de tan extraordinaria capacidad inventiva y sentido de la composición, no pudo concebir este tema más que siguiendo el esquema dado por Miguel Angel.

Weisbach, al referirse al *Juicio final* y a otras obras de Miguel Angel igualmente representativas de su estilo heroico, no deja de plantear la cuestión «de si la interpretación de Miguel Angel puede llegar a considerarse y a sentirse apropiada a una idea religiosa cristiana, y si puede en este caso satisfacer plenamente». Como muy bien razona —vista la opinión que levantó dicha obra—, «hay que tener en cuenta que sentimiento cristiano y arte cristiano no son conceptos fijados de una vez para siempre, sino que siempre influye en ellos más o menos la posición cultural y la sensibilidad de cada época, de modo que no pueden darse en este punto soluciones que pretendan validez universal». Y hay que concluir con este gran historiador del arte que «no puede negarse que Miguel Angel acertó a crear imágenes emanadas de un ideal heroico, dotadas hasta tal punto de majestad y sobrenatural grandeza deslumbradora que sin dificultad pueda aceptarlas la fantasía religiosa como símbolo de lo sagrado»[11].

He aquí señalada otra fuerza —aparte el sentido e intención del tema— que contribuyó a imponer esta obra sobre la sensibilidad religiosa de las épocas siguientes. Responde y expresa un sentimiento profundo de lo trascendente y a través de ese lenguaje de formas, impresionantes en su grandiosidad, que ha de sobrecoger eternamente a quien sienta la inquietud del más allá.

Es verdad que nuestro Pacheco —y no es raro, dado su cargo dentro del Tribunal del Santo Oficio—, al mismo tiempo que declara que *es gloria imitar en el arte a Miguel Angel*, añada que *no en el decoro;* pero no deja de reconocer que ése fue el modelo que tuvo: «me aparté del común de otros pintores trayendo el ejemplo del más aventajado Juicio que se ha pintado jamás». No dejará de agregar sus reparos a las

11. WERNER WEISBASCH: *El Barroco Arte de la Contrarreforma*. Trad. de Enrique Lafuente. Madrid. 1942. pág. 97.

Miguel Angel. *Juicio final*. Capilla Sixtina.

*razones halladas por los doctos italianos contra el Juicio que
pintó el divino Miguel Angel*, refiriéndose en concreto a Lu-
dovico Dolce. Entre ellas están el pintar a los ángeles sin alas,
a los santos sin vestidos, a los condenados en el aire —«siendo de fe que han de carecer de los cuatro dones de gloria:
por esto no tendrán el de la agilidad o ligereza»—; *el pintar
la barca de Carón fingida de los poetas... a imitación del Dante*, y
el hecho de representar «la resurrección de los cuerpos en
algunas figuras habiendo pasado en todos los hombres a un
tiempo»[12]. Estas objeciones que se encuentran ya por primera
vez entre los reparos de detalle que hace Gilio, en general
no son olvidos de Miguel Angel, sino rasgos que se avenían
con la intención expresiva buscada por él.

Importa, para nuestro punto de vista, que consideremos
este último reparo, sobre todo porque supone no percibir la
función esencial —de claro signo barroco— que ese trozo des-
empeña en la composición. Se trata de un plano o término
necesario para hacer cobrar la plena expresividad a todo el
conjunto en relación con el contemplador. Es el plano terreno que enlaza directa y materialmente con el ámbito
espacial en que estamos situados y es, además, en un sentido
temporal, con la visión de tumbas o sepulturas de las que
surgen los resucitados, la concreta relación con la muerte,
esto es, con el paso necesario e inevitable, el estado a través
del cual hemos de llegar al decisivo momento del Juicio
universal.

Miguel Angel —conocedor y apoyado en los textos bíblicos— sería consciente que el hecho de la resurrección ha
de producirse de una sola vez. El los representa en distintos
momentos y estados: unos en esqueleto, otros ya con los
cuerpos resucitados —según objetaba Gilio en sus *Diálogos*—,
introduce, pues, un sentido temporal que es necesario en
cuanto que nos ofrece otros grados o estados que enlazan
con el hombre que lo contempla que ha de llegar al Juicio
a través de esos momentos representados.

---

12. Francisco Pacheco: *Arte de la Pintura. Su antigüedad y grandeza.* Sevilla,
1649, págs. 194 y 225.

LA RELIGIOSIDAD DE MIGUEL ANGEL
Y LA TRAYECTORIA DE SU ARTE

A través de las tres artes en que es maestro Miguel Angel
—y podríamos también agregar la poesía—, que progresivamente se van convirtiendo para el artista en la expresión
de su propia individualidad, vemos imponerse un sentido
estético que nos lleva desde el pleno Renacimiento al arranque
del Barroco. Las formas arquitectónicas, como los bellos
cuerpos desnudos, progresivamente, dejan de ser en su empleo
por el artista el objeto o fin de la creación artística para convertirse en medios de expresión de su espiritualidad. Este
mismo hecho que acabamos de anotar, el que la obra de arte,
sobre todo la arquitectura, sea más la expresión de un estado
espiritual íntimo que la realización de un ideal de formas
y proporciones que se emplean conforme a sus propias exigencias está descubriendo una postura anticlásica.

Aunque emplee, pues, las formas clásicas, como aunque
represente casi sólo desnudos en sus pinturas, el espíritu
que las anima, como las proporciones que adquieren y el
violento y nuevo ímpetu dinámico que las mueve, responde
a un sentido positivamente anticlásico.

Y no es razón secundaria en los determinantes de ese progre-
sivo cambio artístico la profundización y exaltación de su
sentimiento religioso que progresivamente, hasta llegar a la
obsesión, se va produciendo en el alma del artista. En cierto
modo, el hecho concreto de esa síntesis de elementos dis-
pares, como Antigüedad y Cristianismo, belleza de lo humano y suprema renuncia ascética, entraña el mismo fenómeno de lucha de contrarios que constituye la complejidad
de espíritu y formas del Barroco. Podríamos decir que el íntimo drama del alma de Miguel Angel es el anticipo del drama general del estilo barroco.

Sobre su alma formada en el entusiasmo e imitación de las
formas artísticas de la Antigüedad y en el estudio y admiración del cuerpo humano desnudo y, como consecuencia,
animada por el culto al arte y a la belleza, vino a actuar una
espiritualidad platónica de ansia de superación de lo humano

y una preocupación religiosa de renuncia y negación ascético-
mística, que pensando sólo en la salvación le arrastra hasta
exigirle el silencio al artista. No es extraño que esas formas
bellas del arte de la Antigüedad se sientan animadas por un
dinamismo que las desmesura y levanta. Ni tampoco es raro,
por la misma razón, que los bellos desnudos se hinchen y
agiten hasta impresionarnos, no con el placer intelectual de
la belleza y armonía de las formas, sino con la violencia expresiva de la contorsión y el gesto. En cierto modo acertaba
su discípulo Condivi cuando decía, refiriéndose al *Juicio final*,
que en esta obra «expresó todo lo que el cuerpo humano puede
prestar al arte de la pintura, sin descuidar el menor gesto, el
menor movimiento»[13]. Miguel Angel, representando como
asunto sólo lo humano, y esencialmente la figura desnuda
—manteniendo los elementos de la naturaleza, en la visión
casi desértica, reducidos al más simple esquematismo con
que se haya presentado nunca en la pintura—, valoró sólo
el movimiento y el gesto, esto es, buscó en esa obra no lo
bello formal, sino lo dinámico expresivo, lo vital y anímico,
en la expresión decisiva del alma definitivamente lanzada
hacia la salvación o hacia el castigo eterno.

Como señalaba Anthony Blunt al analizar el pensamiento
artístico de Miguel Angel y señalar el cambio que se inicia
en él hacia 1530, nada más distinto que el objetivo que persigue al pintar el Adán de la bóveda de la Sixtina y el que
alienta en los desnudos del *Juicio final*. No le interesa aquí la
belleza física del desnudo. En vez de ello lo empleó «como
medio de transmitir una idea, de revelar un estado espiritual»[14].

Su arquitectura, en la cúpula de San Pedro, termina por no
servir unos ideales o fines artísticos, terrenos y humanos,
sino por hacerse expresión simbólica de la espiritualidad cristiana. Esa gran cúpula, ni por su perfil, ni por su movimiento

    13. *Vida de Miguel Angel por su discípulo Ascanio Condivi*. Versión incluida
como introducción en: *Miguel Angel: Revelaciones artísticas y autobiográficas*.
Buenos Aires, 1945, pág. 80.
    14. *Artistic Theory in Italia 1450-1600*. Second impresion, 1959. Oxford,
págs. 65 y sigs.

y efecto de claroscuro de sus elementos, responde a un sentido de formas que cubren, que cierran hacia abajo; son, por el contrario, formas que se levantan, algo opuesto al sentido que preside la cúpula del Panteón. La relación que descubre —tantas veces subrayada— es con la cúpula de Santa María de las Flores, la obra de Brunelleschi, y precisamente es por lo que ésta tenía aún en su estructura y perfil de medieval. Como muy bien comentaba un fino crítico nuestro, Díez del Corral —que ha insistido en la complejidad del genio de Miguel Angel asentado en la historia artística antigua y medieval—, «la idea que presidió en esta construcción fue la de colocar la cúpula del Panteón sobre la nave de la Basílica de Magencio; pero, desde luego, lo que la Antigüedad no podía brindar era la idea de ese *encima*, un encima que no sería superposición, como en el caso de los anillos del Coliseo o de la cúpula del Panteón, sobre el tambor bajo, con su estatismo macizo similar al de aquel monumento, sino expansión hacia lo alto, ascensión ya no de líneas y espacios angostos, sino de esferas de mundos enteros»[15]. El comentario que de esa gran creación hace Pevsner —el crítico que certeramente ha sabido ver y señalar el manierismo de la arquitectura miguelangelesca— lleva también a la conclusión de encontrar en ella la síntesis y símbolo de una espiritualidad que lleva del Gótico al Barroco. A su juicio «constituye una reinterpretación, mediante el empleo muy personal de las formas renacentistas, de la cúpula florentina con un perfil netamente gótico trazada por Brunelleschi. Ahora bien —agrega—, el vuelo triunfal de esta cúpula no es manierista. Esta victoria sobrehumana de fuerzas gigantescas contra masas enormes apunta hacia el Barroco... Así, la Ciudad Eterna —concluye— se ve coronada, no por un símbolo de la mundanidad del Renacimiento tal como lo había ideado el Papa Julio II, sino por una impresionante síntesis del Manierismo y Barroco y a la vez de la Antigüedad y del Cristianismo»[16].

15. Luis Díez del Corral: *Arte político, Arte religioso y Miguel Angel*. En *Ensayos sobre Arte y Sociedad*. Madrid, 1955, pág. 60.
16. Nicolaus Pevsner: *Esquema de la Arquitectura europea*. Versión caste-

En las obras finales de Miguel Angel hay, pues, no sólo una nueva libertad en el manejo de las formas medievales, sino, además, un dinamismo de signo igualmente medieval. Charles de Tolnay ha insistido en esta síntesis de lo clásico y de lo gótico que ofrece la arquitectura miguelangelesca. «En la Antigüedad —dice—, Miguel Angel descubre la sustancia del cuerpo del edificio; en el Medioevo, la función dinámica de sus miembros arquitectónicos»[17]. Esta vivificación de lo antiguo y clásico por ese dinamismo goticista, ¿se podrá explicar plenamente sin contar con la profunda religiosidad del artista? Y fenómeno análogo plantea la escultura, aunque, aparentemente, con la exaltación del desnudo se nos una a la estatuaria clásica. Rodin, con su genial instinto de escultor —seducido por el arte griego y por Miguel Angel— vio la distancia y contraste de expresividad que entrañaban las obras de éste y las esculturas clásicas. Como afirma y razona en sus conversaciones con Paul Gsell, Miguel Angel se le ofrece ligado al sentimiento cristiano medieval como «el heredero de la imaginería de los siglos XIII y XIV». Aún insiste más abajo: «Miguel Angel, lo repito, no es más que el último y el más grande de los góticos»[18]. Percibía en sus esculturas un aspecto angustiado, una lucha cristiana, una melancolía como del que se «enfrenta con la vida como algo provisorio a lo cual no conviene apegarse demasiado»; en suma, una visión de la vida cual corresponde a un alma cristiana.

Es verdad que Miguel Angel, como reconoce arrepentido en un soneto, había hecho del arte *ídolo* y *monarca*, y, así, como declara en otro, *las fábulas del mundo le habían quitado el tiempo dado para contemplar a Dios*; pero no es menos cierto, como observaba Papini, que desde la adolescencia «no había dejado nunca de ser cristiano, un cristiano lleno de fe y de deseo de perfección, combatido y tentado por la adoración

llana... de René Taylor. Revisión de Emilio Orozco Díaz. Buenos Aires, 1957, págs. 168 y 169.

17. CHARLES TOLNAY: *Michelangiolo*. Firenze, 1951, pág. 212.
18. AUGUSTO RODIN: *El Arte*. Conversaciones reunidas por Paul Gsell. Traduc. José de España. Buenos Aires, 1946, págs. 198 y sigs. y 187.

pagana de las formas, pero nunca hasta el punto de olvidar o negar el fin supremo del hombre, es decir, la redención personal»[19]. Sobre todo conviene recordar cómo se intensificó su preocupación religiosa en los últimos años y cómo llega a una actitud de renuncia y negación de lo humano, de asceta y místico, que le hace hasta renegar del arte. El final del soneto dirigido al Vasari es categórico: «Ni pintar ni esculpir sea más lo que sosiegue el alma, ordenada a aquel amor divino que para recibirnos abriera en cruz los brazos»[20].

No es posible pensar que cuando Miguel Angel se entrega a la terminación de la obra de San Pedro, pudiera sentir la pasión del arte por el arte, el culto a la belleza. Lo que busca en este trabajo no es la gloria ni la supervivencia terrena. Quien estaba hecho a no reconocer límites, a no contener los impulsos de su alma haciendo la obra expresión de lo íntimo individual, no podía ahora dejar de infundirle esas profundas ansias de elevación y religiosidad. En la obra de San Pedro —según recordaba en una carta de 13 de septiembre de 1560 *al Cardenal Pio Carpi*— llevaba trabajando diecisiete años por *orden de los Papas de buen grado, completamente gratis*[21]. Desde el primer momento se resistió a recibir pago alguno; él aceptó el trabajo por obediencia al Papa y por amor de Dios. Ve en ello la voluntad divina. Así lo reconoce en otra carta de 1557: «porque, como creen muchos y yo también, es Dios quien allí me ha puesto»[22]. De la misma manera, en 1554, se entregó al proyecto y a la obra de la Iglesia de la Compañía; cuando San Ignacio y los Padres que le rodeaban atraían en Roma a las gentes

19. Giovanni Papini: *Vida de Miguel Angel en la vida de su tiempo*. Trad. Carlos Povo. Madrid, 1950, pág. 729.

20. Citamos por la edición: *Miguel Angel: Revelaciones artísticas y autobiográficas. Sus poesías en el texto original y en español*. Buenos Aires, 1945. Soneto XXXV. No nos atenemos exactamente a esta traducción. Además tenemos en cuenta una más reciente edición italiana: Michelangelo Buonarroti: *Rime. Testo e note a cura di G. R. Ceriello*. Milán, 1954. Citamos, pues, siempre por la primera edición, pero rectificando cuando no la estimamos exacta y a veces ateniéndonos al texto italiano de la segunda.

21. Edic. cit. Carta LXXIII, pág. 176.

22. Cit. por Papini, en *Ob. cit.*, pág. 654.

conmovidas por un nuevo espíritu y prácticas de religiosidad. Se puede pensar que Miguel Angel no quedó ajeno
a esa religiosidad contrarreformista de San Ignacio. Se deduce de esa intervención en las obras de la primera iglesia
del *Gesú*, aunque no se llegó a terminar. La referencia que
a ello hace el P. Polanco en una larga carta escrita por encargo del fundador a D. Diego Hurtado de Mendoza —para
«darle cuenta de las cosas de la Compañía... como señor
et protector della»— es bien expresiva de cómo valoraban la
intervención y la actitud del genial artista: «La yglesia —le
dice— yrá aora más adelante, aunque ha tenido grandes
contrariedades (por lo mucho que Dios se ha de servir della,
como creo), tomando cargo de la obra el más célebre hombre
que por acá se sabe, que es Michael Angelo (que también
tiene la de San Pedro) y por deuotión sola, sin interese
alguno se emplea en ella»[23].

No parece puramente casual en la trayectoria espiritual
de Miguel Angel este encuentro con el gran santo de la
Contrarreforma, el autor de los *Ejercicios espirituales*, impre-
sos en latín en Roma en 1548.

INQUIETUD Y EXALTACION RELIGIOSA
DE MIGUEL ANGEL A TRAVES DE SUS ESCRITOS

Aunque no muchas veces se recuerda, nadie puede dudar
de la honda preocupación religiosa con que vive Miguel
Angel precisamente en estos años de 1536 a 1541 en que
pinta el *Juicio final*. Y nadie puede pensar en un Miguel
Angel realizando una obra de este empeño y de este tema sin
una adhesión y entrega de su sentimiento; no podemos ver
en ella sólo un alarde de gran pintor y dibujante de la figura
humana que quiere demostrar sus dotes y facultades. Su
angustiosa preocupación por la salvación o el castigo eterno,
en manera alguna podía permitirle enfrentarse con el tema

---

23. *Monumenta Ignatiana et autobiographis vel ex antiquioribus exempla collecta.*
Series Prima, t. VII. Madrid, 1908. Carta núm. 4617, págs. 255-256.

como si estuviera realizando una escena mitológica o una alegoría. Más aún, ese fondo de angustia y lucha penetra en estos temas cuando los trata en estos años. Como ha precisado bien Valerio Mariani, de ese tiempo son dibujos de temas mitológicos, en los que se plantea como asunto el mismo trágico sentido del castigo fulminado por la divinidad a la rebeldía o pecado del mortal[24].

El hecho de haberse mantenido sereno y hasta indiferente, sin hacer ni decir nada, ante los ataques y censuras que le dirigieron a su obra por las desnudeces —pensemos en el punzante y duro escrito del Aretino— demuestra cuál fue su idea e intención al concebirla y cuál fue el estado de espíritu que le animó mientras la realizaba. Agudamente lo hizo observar Romain Rolland: «Sabía él con qué ardiente fe había realizado aquella obra, al margen de las religiosas conversaciones con Victoria Colonna y bajo la égida de aquella alma inmaculada. Le hubiera sonrojado defender la casta desnudez de sus heroicos pensamientos contra la sucia sospecha y los sobrentendidos de los hipócritas y de los corazones rastreros»[25].

La preocupación por el más allá, por la salvación del alma, es un hecho que deja una persistente constancia a través de toda la vida de Miguel Angel, tanto en sus cartas como en sus versos. Así, piensa y se preocupa no ya sólo por su alma, sino también por las de sus familiares y amigos. Aunque las principales citas que tenemos correspondan a fechas posteriores a la pintura del *Juicio final*, sin embargo tienen el interés todas de descubrirnos el punto extremo a que llegó en su preocupación por el más allá.

Ante la enfermedad de su padre, y aun sabiendo que ha pasado el peligro, no deja de encargar a su hermano: «haz de suerte que nada le falte, en cuanto a su alma y a los sacramentos de la Iglesia». Incluso le añade: «entérate por él si quiere que hagamos nosotros algo por su alma» (15 de

24. VALERIO MARIANI: *L'univers de la Sixtine*. En *Michel-Ange*. Collection Génies et Réalités. París, 1961, pág. 187.
25. *Miguel Angel*. Traduc. R. Calleja. Madrid, 1934, pág. 183.

noviembre de 1516)[26]. Esta preocupación por rezar y hacer
obras de caridad pensando en los beneficios para el alma
crece conforme pasan los años. En 1547 le pide a su sobrino
Leonardo haga obras de misericordia, sobre todo entre po-
bres vergonzantes, con 550 escudos de oro que le había
mandado, todo «por amor de Dios, tanto por el alma de tu
padre Buonarrote como por la mía»[27]. Al mismo sobrino
le pregunta inquieto sobre la muerte de Giovan Simone —su
hermano—, que le ha dolido profundamente: «Me gustaría
saber especialmente qué fin tuvo, si murió confesado y
comulgado y en regla con la Iglesia. Si así fue, el saberlo
me dará menos dolor» (14 enero 1548)[28]. Más tarde —en
30 de noviembre de 1555—, al saber la muerte de su hermano
Sismondo, le dice al mismo sobrino: «necesario es tener
paciencia; y puesto que murió con pleno conocimiento y
todos los sacramentos de la Iglesia, hay que agradecer a
Dios»[29]. Se ve por esas citas cómo proyectaba sobre el final
de sus íntimos familiares su más profunda preocupación.
Por eso sigue insistiendo en su afán de hacer obras de misericordia, rogándole a ese mismo sobrino le avise de familias
menesterosas, para, en secreto, *poder hacer algún bien*. «Será
ello —concluye la carta— por la salvación de mi alma»[30].

Si a través de sus cartas vemos cómo continuamente
aflora, como algo incontenible, ese sentimiento de inquietud
y temor ante el eterno destino de su alma, aún con más insistencia y exaltación se nos ofrecerá si los escuchamos a
través de sus versos. Subrayó bien, ya en el siglo pasado,
Pater —en uno de los primeros estudios que a estos versos
dedicó la crítica— cómo «El interés de los poemas de Miguel
Angel consiste en que nos hace espectadores de su lucha:
la lucha de una poderosa naturaleza por ornar su espíritu
y afinarlo; la lucha de una desoladora pasión que anhela
por ser resignada y dulce y pensativa, como lo fue Dante.

26. Edic. cit., pág. 211.
27. Id., pág. 223.
28. Id., íd.
29. Id., pág. 233.
30. Id., pág. 230.

Es consecuencia, del continente e irregular carácter de su poesía, que ella nos acerca más a él y su alma y su carácter de lo que cualquier obra, escrita sólo para sostener una reputación, pudiera lograr» [31]. Precisamente los momentos más apasionados de esas luchas son los determinados por la exaltación religiosa de su edad madura, cuando Victoria Colonna, al mismo tiempo que despertaba ese amor que el artista levanta en brioso empuje de espíritu neoplatónico, le avivaba y removía en lo más hondo de su alma cristiana el ansia de perfección y renuncia ascético-mística. En un atormentado madrigal, donde confiesa el vacilante caminar a ciegas de su *confuso corazón* en *busca de su salvación*, queda declarada esa acción decisiva que sobre el gran artista ejerció la Marquesa al ofrecerle el papel para que ella escriba *cómo pueda su alma, a obscuras, no extraviar sus últimos pasos*: «por vos se escriba, vos que en mi vivir / volviste al cielo por los más bellos caminos» [32].

Pensando en esa salvación se le agolpan los sentimientos del pecador arrepentido que considera malgastada su vida pasada. Los versos de súplica a Cristo, buscando su mirada, su ayuda y su guía, son de los más ardientes que nos ha dejado la lírica religiosa italiana. Se comprende ante esos sonetos la obsesión con que en sus últimos años se entregó a esculpir una y otra vez el tema de la Piedad, el tema del Cristo muerto. Es el Cristo muerto, pero no caído, que se mantiene y levanta en un supremo abrazo en el que hay tanto de amor como de búsqueda de ayuda para morir, y no morir, para salvarse con El y por El. En su *Piedad* de la Catedral de Florencia se nos ofrece él mismo, como José de Arimatea, sosteniendo a Cristo con esfuerzo para que no se desprenda de sus brazos, para que no se aparte de él y caiga y se sumerja en la tierra. Miguel Angel pensaba que este grupo de la Piedad coronara su propia tumba. En otro de esos grupos esa religiosidad llega a deshacer y espiritua-

31. WALTER PATER: *La poesía de Miguel Angel*. En *El Renacimiento. Estudios de Arte y Poesía*. Trad. J. Farrán Mayoral. Barcelona, 1945, pág. 97.
32. Edic. cit., pág. 405.

lizar la materia. Como dice Pevsner, «quedó sin concluir, mejor dicho, sublimado en forma tan inmaterial, que ya no puede ser considerado como escultura en el sentido rena-centista»[33]. También Clark al hablar del *pathos* en el desnudo de Miguel Angel, ante sus grupos de la *Piedad* concluye afirmando que «muestran que en el final, el ideal de belleza física había sido abandonado»[34].

A través de esos versos le vemos cómo ya más próximo a la muerte siente agobiante el peso, la enorme carga de los pecados de una vida perdida irreparablemente:

> *Cargado de años y de pecados lleno,*
> *y con el mal hábito arraigado y fuerte,*
> *me veo próximo a la una y otra muerte*
> *y en parte el corazón alimento de veneno.*

La súplica final de esta queja es que le *allane el camino con el arrepentimiento.*

Tiembla pensando pueda faltarle la ayuda del Señor:

> *Temo, en el tumulto de adversos estridores,*
> *perecer, si en él no me sostienes.*

Porque su súplica se dirige en concreto a Cristo —cuya sangre y extremados dolores de muerte pueden purgar sus pecados— en el tono más angustioso de indefenso y solitario:

> *Sólo Tú lo puedes, tu suprema piedad*
> *socorra mi doliente, inicuo estado*
> *tan próximo a la muerte y tan lejano de Dios*[35].

---

33. *Ob. cit.*, pág. 170.
34. KENNETH CLARK: *The Nude. Astudy of ideal art.* Harmondsworth Penguin Booksltd, 1960, pág. 246.
35. Edic. cit. Soneto XXVI, pág. 318. Como dijimos no nos atenemos exactamente a esta traducción castellana.

Le angustia sobre todo, ese pensar en la dificultad de la salvación; los pecados se le vienen encima y ve la muerte
cerca:

> *Me entristezco porque encontrar gracia y merced*
> *en los últimos años a tantas culpas es raro* [36].

No es que se desespere; él sabe que si el martirio fue sin igual
también serán sin medida sus amadas gracias; pero le queda
la duda de si *será demasiada temeridad* «esperar que amor
perdone tan excesiva tardanza». Hay momentos —en varios
de sus madrigales— en que no puede contener el grito:

> ¡Ay de mí! ¡Ay de mí!, que soy traicionado por mis
> fugaces días y, sin embargo, el espejo no miente si el
> amor propio lo empaña. ¡Ay!, que quien locamente en el
> deseo se afana, no acordándose del tiempo huido, se
> encuentra, como yo, viejo en un instante. Ni sé bien arre-
> pentirme, ni me preparo, ni me aconsejo con la muerte
> cercana.
> Enemigo de mí mismo, inútilmente vierto llantos y
> suspiros; que no hay daño semejante al tiempo perdido» [37].

Una y otra vez insistirá en los errores de su vida pasada
luchando por sentir el pleno arrepentimiento para encontrar
el camino y el perdón:

> *Vivo en el pecado y muerto en mí vivo;*
> *mi vida no es mía, sino del pecado,*
> *por cuya fosca niebla extraviado,*
> *ciego camino y me siento privado de razón* [38].

Y aunque llegue a sentir el pleno arrepentimiento, seguirá
clamando al Señor, porque sabe y siente que su alma *sin*

36. Id., pág. 34.
37. Edic. cit. Madrigal XXI. Edic. cit., pág. 400.
38. Edic. cit. Soneto XXXI, pág. 328.

El, todo bien le falta y, sobre todo, que «su salvación es sólo poder divino»[39].

Cuando leemos todos estos versos —dejando otros muchos por citar— comprenderemos es necesario afirmar, con algún moderno editor de sus poemas, que «no conoce profundamente la obra de Miguel Angel quien ignora u olvida la poesía»[40]. El sentido íntimo y profundo de su gran fresco del *Juicio final* lo comprendemos plenamente cuando escuchamos esa voz angustiosa y desolada por el ansia de arrepentimiento y de perdón que se expresa en sus versos. En esa religiosidad exaltada y purificada en tan tremenda lucha de su alma cristiana, que se siente pecadora e indigna ante el juicio divino, hay que buscar el fundamento del sentido expresivo religioso y estético que la presidió al concebirla y realizarla. Porque, aunque se puedan señalar —según muchas veces se ha hecho— las fuentes o fundamento literario que constituyen el *Dies irae* y la *Divina comedia*, sin embargo, como decía un buen comentador de los frescos de la Sixtina, «éstas están plenamente absorbidas por la fantasía del artista, aun constituyendo, por así decirlo, la levadura de su pensamiento; porque en los años que duró la ejecución del inmenso fresco, Miguel Angel acumuló a través de la dolorosa experiencia de su vida atormentada, celosa de sí misma, una suma de valores espirituales muy complejos de que no disponía cuando mucho más joven pintaba la bóveda; su austera concepción religiosa iba excavando profundamente en su espíritu, y precisamente por aquel tiempo el anhelo de un coloquio directo con Dios se iba acentuando, hasta desembocar en los célebres y estupendos versos:

> *Giunto è gia 'l corso della vita mia*
> *per tempestoso mar su fragil barca*
> *al comun porto ov'a vender si varca*
> *conto e ragion d'ogni opra trista o pia...*»[41].

39. Edic. cit. Soneto XXX, pág. 326.
40. G. R. R. CERIELLO: En *Michelangelo Buonarroti. Rime*. Testo e note a cura di... Milano, 1954, pág. 10.
41. VALERIO MARIANI: *Miguel Angel en la «Sixtina» y en la «Paulina»*. En *Va-*

EL «JUICIO FINAL» Y LOS LIBROS DE MEDITACION.

El sentido religioso que expresa es tan profundo como el que alienta en la más típica pintura de pleno sentido contrarreformista o, mejor dicho, barroca; actuando en su arranque, sensorialmente, pero no en el sentido de búsqueda de despertar la devoción y amor a Dios: nada que estimule a la ternura o al goce. Por el contrario, impresiona en un sentido negativo; como la más tremenda pintura, sermón o tratado ascético, quiere despertar el más terrible sentimiento de temor de Dios. La finalidad religiosa era la misma que buscaba el tratadista en sus libros de meditación.

Por esto uno de los reproches que se le ha hecho a veces a la obra de Miguel Angel; el predominar en ella sólo la impresión de terror, como si no existieran bienaventurados junto a los condenados, igualmente se le podría hacer al tratado ascético que surge en fecha inmediatamente posterior, ya plenamente dentro del ambiente contrarreformista. Así, si consideramos una obra expresiva de la exaltación religiosa de dicha época y que a la vez se difundió e influyó en la sensibilidad religiosa de muchos países, el *Libro de la Oración y meditación*, de fray Luis de Granada, vemos cómo la religiosidad que alienta en la gran composición miguelangelesca no queda lejos de la que orienta y anima la meditación del Juicio final de tan famoso libro. Era natural esta visión y expresividad de terrible aviso del castigo eterno en quien, como el dominico español, aunque extraordinario artista de formación renacentista, buscaba mover y conmover el alma del cristiano en la más total subordinación del arte a la religión; pero extraña a primera vista en quien, como Miguel Angel, parece representar sólo la exaltación e independencia del arte. Miguel Angel, al representar, no ya el pasado y origen de la humanidad —como en la bóveda—, sino el hecho decisivo del futuro, da expresión a un sentimiento que le afecta y le angustia en lo más hondo de su ser de cristiano, que le obliga a subordinar a él todo su arte o,

ticano. Bajo la dirección de Giovanni Fallani y Mario Escobar. Trad. C. Matous Rossi. Barcelona, 1949, pág. 509.

mejor dicho, a considerar la obra de arte como expresión
de su ardiente religiosidad. Los seres que en su *Juicio final* se
representan responden, sí, a la misma humanidad de gigantes creada por él; pero diríamos que en esa humanidad
resucitada —o, más exactamente, resucitando— más pesada
y musculosa, ya no exhibe su belleza, sino que es sólo instrumento o medio a través del cual se expresa un sentimiento.
Es una humanidad que ya no vive por sí; está lanzada por
un poderoso impulso interior y supraterreno —elevándose
o hundiéndose— hacia la morada definitiva de su eterno
destino.

Fray Luis, lo mismo que Miguel Angel, centra su visión
en la figura majestuosa y terrible de Cristo. Por esto inicia la
meditación partiendo de la consideración de esta impresionante figura de Jesús en su segunda venida al mundo.
Es lo primero que se impone al lector, y, precisamente para
despertar los sentimientos de temor y terror, acude a los
textos bíblicos, en los que ello se anuncia o profetiza con dichos
rasgos; pasajes bíblicos que, junto con el *Dies irae*, debieron
inspirar también el sentimiento expresado por Miguel Angel.
Así comienza fray Luis su meditación: «Pues estando ya todos
resucitados... descenderá de lo alto aquel a quien Dios constituyó por Juez de vivos y muertos...; vendrá con grandísima
majestad y gloria acompañado de todos los poderes y princi-
pados del Cielo, amenazando con el furor de su ira a los que
no quisieron usar de la blandura de su misericordia. Aquí
será tan grande el temor y espanto de los malos que, como
dice Isaías, andarán a buscar las aberturas de las piedras...
Finalmente será tan grande este temor, que como dice San
Juan (Apoc. 20), los cielos y la tierra huyeron de la presencia
del Juez y no hallaron lugar donde esconderse. Pues, ¿por
qué huís, cielos?, ¿por qué teméis? Y si por cielo se entiende
aquellos soberanos espíritus que moran en los cielos; vosotros
bienaventurados espíritus, que fuisteis criados y confirma-
dos en gracia, ¿por qué huís?, ¿qué habéis hecho?, ¿por
qué teméis? No temen cierto su peligro, sino temen por
ver en el Juez una grande majestad y saña, que bastará
para poner en espanto y admiración a todos los cielos... ¿Pues

qué harán entonces los malos cuando los justos así temen ?»[42].

Como vemos, el escritor ascético ha seguido la misma orientación que el genial pintor: hacer impresionante, impetuosa y terrible la figura eje de la visión del Juicio final. No se piensa ante ella en el bienaventurado, pues aunque está presente, igualmente está sobrecogido por el terror, pendiente y asombrado de la presencia del Supremo Juez. Como en la visión profética del Apocalipsis que recuerda fray Luis. Así Miguel Angel siguió también el camino que le ofrecía el texto bíblico y desarrollándolo en forma análoga a como la desarrollará el escritor dominico, incluso con la misma expresión de sentido desbordante y comunicativo.

El estilo grandilocuente, vivo y oratorio del español responde a la misma intención, aunque se apague su voz al pensar en el estruendoso y tonante predicar del fresco de Miguel Angel. Todo en él es sublimidad e hipérbole. Al convertir esos desnudos en expresión desnuda, en gestos y frases que con sus movimientos e impulsos nos gritan descubriendo el más profundo y desolador drama de sus almas atormentadas, consigue una cima de la expresión del sentimiento cristiano en su tono más exaltado, con una emoción desbordante y comunicativa, que será la misma —en un más bajo tono— con que nos impresionará el escritor ascético contrarreformista en sus realistas meditaciones; y la misma también —en un tono más sonoro, coloreado y seductor— con que el Barroco nos hablará a los sentidos, incluso para inculcarnos la lección de moral y ascetismo que le dictaba la religiosidad de la Contrarreforma[43].

42. *Ob. cit.*, Cap. XII, Punto V.
43. Sobre los rasgos de paralelismo o antecedentes que pueden señalarse entre los escritores ascéticos y místicos y los artistas y poetas del Barroco concretamos algunos puntos en la comunicación presentada en los *Coloquios internacionales* de Coimbra, en 1958 —dedicados al estudio del Barroco—, con el título de «La estética de los místicos y la estética del Barroco». Todo ello lo desarrollamos en un extenso ensayo entregado para su publicación a la *Revista de la Universidad de Madrid*, que ha de dedicar un número monográfico al estudio de dicho estilo. [Aparecido en las mismas fechas que este artículo lo reeditamos más tarde con adiciones en nuestro libro *Manierismo y Barroco*, Salamanca, 1970, y con nuevas adiciones en la segunda edición del mismo, Madrid, 1975.]

CONCEPCION Y EXPRESION DE SENTIDO BARROCO
EN EL «JUICIO FINAL»

El *Juicio final* representa en cuanto a la pintura el cambio
más decisivo y violento que puede señalarse en el desarrollo
del arte renacentista. Y es precisamente la demostración
de cómo una idea y preocupación religiosa puede determinar,
al expresarla un artista genial, el surgir de una nueva concepción artística que en esencia por su espíritu y sentido
representa el comienzo del Barroco. Se trata de una concepción unitaria, pese a su inmenso tamaño, en la que ningún
elemento puede tener un pleno valor por sí solo. Todo lo
centra y mueve la terrible figura del Cristo juez —valor que
en uno de los dibujos preparatorios se subraya aún más
haciéndola de un mayor tamaño—. No hay figura que quede
en actitud pasiva; todo está en acción y moviéndose por
el más violento ímpetu de huracán que arrastra a cada uno
a su definitivo destino. Y concibiendo toda la composición
con un sentido espacial plenamente barroco. El muro sobre
el que se desarrolla ha quedado roto totalmente. Es como
si a la Capilla se le hubiera suprimido el fondo para ofrecernos
el terrible espectáculo del juicio final. Un efecto de ilusio-
nismo tan plenamente barroco como pueda serlo el que nos
ofrecen las bóvedas y cúpulas del pleno seiscientos. Porque
responde, además, a una concepción espacial que supone
el sentido de continuidad, que nos obliga a sentirnos enla-
zados con lo que está sucediendo. Asistimos al más grave
acontecer para el alma del cristiano. No son figuras que se
presenten a nuestra contemplación para provocarnos sólo
un placer estético y quedar en su espacio, en su mundo,
como algo ajeno y cerrado que moralmente nos es indiferente. Por el contrario, lo que contemplamos —como en
un cuadro barroco— es un instante de una acción, de algo
que está sucediendo y a lo que no podemos quedar ajenos.
Se nos está obligando a sentirnos parte de ese hecho que
acontece, somos el término vivo de este mundo terreno con

que se completa el sentido de la composición. De la parte
baja, la desnuda tierra que se enlaza con la misma que
pisamos, ascienden de las tumbas resucitados los hombres
que han de ser juzgados por Cristo. Después, unos son ele-
vados al cielo y otros arrojados a la barca de Caronte, que
les lleva a los infiernos. Nosotros, que los contemplamos,
nos vemos obligados a tener conciencia de nuestro inevitable
futuro, a sentirnos en marcha, aproximándonos hacia esas
tumbas de las que hemos de resucitar para tomar parte en
el mismo camino. Estamos como esperando la hora para
tomar parte en el mismo drama que se está representando
y del que ha de resultar nuestra salvación o nuestra condena eterna [43 bis]

Miguel Angel en su gran pintura ha buscado, como el
artista barroco, el comunicar la emoción, el que llame a
nuestra alma lo mismo que también la llama el escritor
ascético en sus libros de meditación al hacernos considerar
estas terribles realidades de la muerte y del juicio. La obra
constituye la más violenta y clamorosa llamada al alma cristiana que lanzó el pensamiento y sentimiento cristiano. Aunque
de pasada apuntó Vasari esta finalidad ascética cuando
se refiere a cómo superó el trabajo de la bóveda «imaginando
el terror de ese momento decisivo para aumentar los remordi-
mientos de los que habían vivido mal» [44]. La reacción del

[43 bis] Sobre el sentimiento y visión de continuidad espacial —desbordamiento
o proyección hacia fuera junto con el efecto de profundidad— que aquí comentamos y que estimamos esencial en la concepción artística barroca, pueden verse
nuestros siguientes ensayos: *Sobre el punto de vista en el Barroco*. Revista
Escorial. Suplemento de Arte. Madrid, 1943. Reproducido con alguna adición
en *Temas del Barroco*. Granada, 1947. *Un aspecto del barroquismo de Velázquez*,
en *Varia Velazqueña*. Madrid, 1960. «La Función compositiva del color en la pintura de Velázquez», en *Revista de Ideas Estéticas*. Madrid, 1961. También
hacemos unas consideraciones generales en el trabajo ya citado de próxima
publicación en la *Revista de la Universidad de Madrid*. *Literatura religiosa y
Barroco*. [Véase nota anterior y en nuestro libro *El Teatro y la Teatralidad
del Barroco*, Barcelona, 1969.]

44. *Vida de Michelangelo Buonarroti*. En *Vidas de Pintores, escultores y ar-
quitectos ilustres*. Trad. J. B. Prighini y E. Bonaso. Buenos Aires, 1945, t. II,
pág. 419.

Papa Paulo III al contemplar el fresco por primera vez responde plenamente a esa llamada que al alma está haciendo la pintura. La impresión del terrible espectáculo le hizo caer de rodillas en oración, exclamando: «Señor, no cuentes mis pecados cuando tú vengas el día del juicio».

Creo que Miguel Angel, con plena conciencia, tuvo la intención de producir ese efecto ilusionista de sentido barroco. Y no creo lo contradiga —según piensa Hauser en los certeros y profundos comentarios que ha dedicado al artista en su estupenda *Historia social del arte y de la literatura*— el hecho de la desproporción de tamaño que ofrecen las figuras de la parte superior que conforme a la perspectiva deberían precisamente ser menores[45]. El artista pudo hacerlo intencionadamente para producir, aun con más fuerza, la impresión de sublimidad y terror de lo sobrehumano. Se podría pensar en un rasgo medieval de gradación jerárquica establecida por el tamaño; pero creemos que la razón puramente sensorial es la que decisivamente cuenta. Así, dinámica y cuantitativamente, esa masa superior nos sobrecoge. Pues nos impresiona como si se nos viniera encima. Ello quizá se refuerce con el recurso material de haber hecho que el muro no esté totalmente vertical. Es verdad que la razón de esa ligera inclinación que se le dio al lienzo de pared está en evitar el que se empolvara; pero quizá también contara el deseo de buscar su proyección hacia la mirada del contemplador.

Esa expresividad de sentido barroco que busca la proyección hacia fuera, la comunicación con el espectador para conmoverle o impresionarle se cumple, pues, plenamente en esta gran composición. El recurso que con esta intención utilizará frecuentemente la pintura años después, como es el ofrecer figuras que miran al espectador, lo vemos aquí consciente y sabiamente empleado, cosa no frecuente en su pintura anterior, aunque sí repetido en los frescos posteriores de la Capilla Paulina.

---

45. *Ob. cit.*, edic. cit., t. II, pág. 531.

Miguel Angel.
Juicio final.
(Fragmentos).

Son varias las figuras que espantadas u horrorizadas nos miran desde el muro. O bien una terrible calavera o un monstruo infernal. Y abundando en la intención aleccionadora impresionante observamos que el artista busca esos movimientos y gestos de mirar al espectador casi exclusivamente en los seres infernales y en los condenados. Como en las meditaciones del juicio final que nos ofrecen los escritores ascéticos, Miguel Angel no pensaba como fin central de su pintura en atraer al goce con los bienaventurados, sino en despertar el temor de Dios, el miedo al castigo eterno.

En la gran composición diríamos que los santos y bienaventurados están ajenos a la masa de los que le contemplamos desde el suelo de la Capilla. Ellos expresan su sentimiento en el decisivo momento y con violencia, pero sus gestos y miradas quedan recogidos dentro del ámbito espacial de la composición. Miran a Cristo o le muestran el instrumento o emblema de su martirio con gestos, como decía Symond, que más que pedir misericordia «dan la impresión de que lo que realmente reclaman es rígida justicia»[46].

Ninguno de los que están en primer término nos miran para atraernos con su mirada hacia la corte celestial. Los que nos miran con ojos desorbitados en la extrema desesperación ante el eterno castigo son los condenados y los demonios. En la masa terrosa de sus carnes se recortan en violento contraste las negras pupilas perfiladas como verdaderos taladros sobre el blanco de los ojos. Las miradas se nos clavan con la extrema fijeza del ojo espantado que parece lanza a través de él toda la desesperación y desolación de un alma perdida para siempre.

Con análoga impresión de horror se nos impone ese muerto que se levanta descarnado de su tumba y que nos mira en completa frontalidad a través de las cuencas vacías de su calavera y parece nos fuerza a mirarlo, como lo mira aterrado un joven que se levanta junto a él. Y aún más penetrante es la mirada de ese condenado que avanza hacia Minos hu-

46. JOHN ADDINGTON SYMOND: *La vida de Miguel Angel*. Trad. C. A. Jordana. Buenos Aires, 1943, pág. 359.

yendo de los golpes del remo de Caronte. Con la impresión escalofriante de la directa visión del averno nos retiene la mirada de un monstruo infernal que, como en una visión de negativo, todo es negrura en él, sin más luz que la ardiente de sus horribles ojos.

Pero hay otro aspecto más propiamente pictórico y —que sepamos— no debidamente subrayado por la crítica, que viene al propio tiempo a reforzar la impresión de realidad, de pared rota, con ese efecto de continuidad espacial, de visión desbordante, que nos da la gran composición. Se trata de un recurso típicamente barroco en cuanto que se apoya en un efecto de color que actúa sobre el contemplador de una manera irracional, sólo sensorialmente[47]. Aunque Miguel Angel haya empleado en general el color en la más total subordinación a la forma, sólo con la simplicidad y despreocupación del que colorea las figuras, sin embargo en este caso estimamos obró de una manera plenamente consciente, esto es, buscando un determinado efecto pictórico. Se trata de un recurso apoyado en un principio colorista básico que en parte fue ya considerado en el *Tratado de la Pintura* de Leonardo de Vinci, sobre todo en la valoración del azul como color del aire y su poder para sugerir lo distante. Nos referimos, pues, al distinto efecto con que actúan en el mecanismo psicofísico de la visión los colores calientes y los fríos. Las tintas calientes y terrosas nos dan la sensación de proximidad y concretez, mientras que las frías, especialmente los azules, nos impresionan como algo distante e inmaterial. De actuar la asociación ideológico-simbólica de lo terreno y de lo celeste no se haría más que reforzar esa abstracta impresión que por sí producen esas gamas de colores.

Es verdad que la impresión de color del fresco —y más con su mal estado de conservación— es simple y pobre;

47. Para la consideración general de este recurso pictórico puede verse nuestro ensayo —ya citado—: *La función compositiva del color en la pintura de Velázquez*. [Incluido con el otro trabajo citado en la nota 43 y otro breve ensayo y amplias notas en nuestro libro *El barroquismo de Velázquez*, Madrid, 1964.]

pero hay que reconocer que en parte es eficaz y aun debió
de serlo más en su primer estado. Cromáticamente todo se
reduce a un predominio de desnudos hechos con una colo-
ración terrosa más o menos opaca que se destaca sobre
fondos de azules intensos y tintas frías. Lo que se nos ade-
lanta e impone es el enorme enracimado de figuras que
suben y bajan, que quedan como moviéndose aisladas en
el aire próximas a nosotros por el efecto de profundidad espacial de vacío inmenso que nos suscitan los azules del
cielo sobre el que se perfilan. El color, pues, coadyuva como
estímulo sensorial al efecto ilusionista de la visión de realidad
del conjunto. Las tintas terrosas, pesadas, se intensifican en
la parte baja, en el primer término, mientras que se aclaran
en la parte alta y destacando las figuras sobre un espacio
de azules que sugiere lo distante e infinito.

Al mismo sentido barroco responde el hecho de haber
dado entrada al retrato en esta gran composición[48]. Sabemos
por la autoridad del Vasari que él «aboriva il fare semigliare il
vivo, se non era d'infinita belleza»[49]; por eso el retrato que
según el mismo biógrafo hizo de su joven amigo Tommaso
Cavalieri «en un cartón grande del natural» es la única
excepción, pero que en cierto modo —dada la extraordinaria
belleza del modelo— confirma la postura del artista.

No sabemos cómo sería el retrato en bronce del Papa
Julio II, pero dado su tamaño —tres veces el natural— y
teniendo a la vista los retratos de Giuliano y Lorenzo de
Médicis, hemos de pensar el sentido de idealización con que
estaría concebido. Como decía Farinelli, «concebía la belleza
únicamente en relación con la eternidad, y veía el pulsar del
infinito en toda cosa finita, debía excluir de su arte la exactitud y la minuciosa perfección, la semejanza propiamente
dicha del retrato»[50].

48.   Sobre este aspecto en concreto, véase: ACHILLE BERTINI CALOSO: *Ritratti nel «Guidizio universale di Michelangiolo»*. En *Michelangiolo Buonarroti nel IV Centenario del «Giudizio Universale»*. Firenze, 1942.

49.   Cit. en *ob. cit.*

50.   *Michelangelo e Dante*. Torino, 1918, pág. 151.

Sin embargo, es indiscutible que en el Juicio final no sólo hizo su autorretrato, sino también el de otros personajes contemporáneos. Y observamos que su autorretrato en el grupo de la Piedad de la Catedral de Florencia viene a reforzar —por la razón de intimidad personal religiosa— el porqué de la aparición en este gran mural. Sabemos concretamente, por la referencia del Vasari, cómo intencionadamente representó al maestro de ceremonias Biagio da Cesena en la figura de Minos; pero, como ya estudió Achille Bertini Calosso, son varios los retratos que, aunque en lugares secundarios, introdujo en la composición. Aunque no se admitan como identificación exacta todos los que este crítico presenta, hay que reconocer que algunos de los casos que señala ofrecen rasgos de caracterización que obliga a admitirlos. Un sentido de realidad, contrario a la estética clásica que busca la indeterminación de la belleza perfecta del desnudo, se ha impuesto a impulsos de una concepción expresiva barroca que persigue como necesidad la referencia a lo concreto individualizado.

ASENSUALIDAD Y EXPRESION RELIGIOSA EN LOS DESNUDOS DEL «JUICIO FINAL»

Es verdad que, como observaron algunos críticos y ha subrayado Malraux, frente a otras representaciones del tema —que son sobre todo resurrecciones— esta de Miguel Angel es una *condenación*[51]. Pero el hecho de que este mismo crítico reconozca como algo totalmente evidente que *es una de las obras menos sensuales que existen*, está señalando cómo sorprende a la crítica el hecho de que el desnudo haya cobrado en ella un nuevo sentido, una nueva expresión. Que la obra pictórica de mayor número de desnudos que nos dejó el Renacimiento sea, a pesar de ello, una obra nada sensual

---

51. André Malraux: *Les voix du silence*. París, 1951, págs. 325 y sigs.

está demostrando que el espíritu que la anima es un espíritu cristiano. Aunque no en la forma, la obra está llena del espíritu de la Biblia. Así lo señaló ya Redig de Campos[52].

Esa anulación del sentimiento de sensualidad se debe a varias razones. De una parte a que se imponga en Miguel Angel, como en el desnudo griego, un sentimiento heroico del desnudo, un elevar lo humano a un plano superior intemporal en cuanto se le despoja de accidentes. «Cuando el artista griego —decía un fino crítico comentando la relación del arte y la fe— quería presentar al hombre en su esencia, libre de condiciones temporales y de espacio, cuando ansiaba elevarlo a héroe, a demostrarlo como una existencia ubicada entre lo terrenal y lo divino, entonces desistía de toda añadidura, de toda vestimenta accidental, dando formas a la ley pura: el cuerpo desnudo con el rostro temerario, enérgico»[53]. Algo análogo ocurre en el arte de Miguel Angel. También hay en el fondo de la concepción del desnudo miguelangelesca un sentimiento del sentido teológico cristiano proclamado por San Agustín en la *Ciudad de Dios* (lib. 22, capítulo 24), y que fue destacado por el citado crítico, aunque extrañamente ni siquiera nombra en relación con ello los desnudos de Miguel Angel. Teniendo en cuenta lo mucho que hay en el cuerpo humano que obedece más a una razón de adorno o belleza que de conveniencia o necesidad, «así uno podrá convencerse fácilmente —decía San Agustín— que al crear el cuerpo, Dios antepuso lo noble y estético a la mera necesidad. Habrá de desaparecer alguna vez esta necesidad y vendrá el tiempo en que podremos gozar de lo bello sin deseos algunos». La belleza del cuerpo, comentaba dicho autor, «es, por lo consiguiente, según San Agustín, en virtud de sí misma, prenda e imagen de la futura transfiguración»[54].

52. *Il Giudizio di Michelangelo e le sue fonti letterarie ed iconografiche.* En *Raffaello e Michelangelo. Studi di Storia e d'Arte.* Roma, 1946, pág. 167.

53. H. Lützelze: *Mundo, hombre y Dios en el arte cristiano.* Incluido en *El Arte y la Fe.* Trad. G. Veroheven y C. Wilthans. Bueno Aires, 1948, pág. 42.

54. *Ob. cit.,* pág. 44. Sobre la expresión en los desnudos de Miguel Angel de un sentimiento ajeno al ideal de belleza y sensualidad, véase la ob. cit. de Kenneth Clark: *The Nude.*

Pero, sobre todo, la asensualidad de los desnudos del *Juicio final* se debe a que el artista les hace cobre expresión y palpite en ellos desbordante un alma que habla a través de las formas. El hecho mismo de que el Papa, al correr los lienzos que lo cubrían y contemplarlo en su totalidad, cayese de rodillas y orase, está demostrando la naturaleza de la impresión provocada. Se trataba de un Papa admirador del arte de Miguel Angel y, sin embargo, su reacción ante la obra es sólo la del creyente. No pudo mantener el indiferentismo moral de una pura contemplación estética. No es el asombro ante la gigantesca obra de arte; es el terrible sentimiento del temor de Dios ante la viva e impresionante representación del día decisivo para el hombre. El culto a la belleza del cuerpo humano ha dejado de ser un fin.

El, como buen renacentista, había exaltado y glorificado al hombre eligiéndolo como tema único de su obra; lo había engrandecido en su vigor y su belleza hasta crear una humanidad de gigantes enseñoreándose de la creación; pero en estos momentos posteriores ve a toda esa humanidad, aún más musculosa, imponente y pesada, cómo queda atemorizada, más angustiada, aun dentro de su grandeza, ante la impresionante presencia del Cristo juez que los lanza con su gesto, como el más ligero soplo de su vida, con el mismo ímpetu con que los granos de arena serían removidos por un huracán. Es el enfrentarse con la infinita fuerza y poder de lo divino; el destino inevitable de la humanidad toda.

En gran parte, esa asensualidad del desnudo miguelangelesco se puede fundamentar en haber logrado en sus figuras —como explicó agudamente Simmel— dar expresión a la realidad plena o metafísica de la vida en cuanto tal; «de la vida que se manifiesta en los más diversos sentidos, estados, destinos, pero que posee una unidad radical inefable, en la que desaparecen lo mismo la oposición de cuerpo y alma que la de la existencia y actitudes individuales». El sentido de esas figuras —precisa más abajo— «lo constituye la vida en su totalidad y emanando de su propio centro unitario... La unidad se alza tan por encima de toda pluralidad que hasta desaparece la oposición de los sexos. Los caracteres masculinos y femeninos no se confunden en la apariencia externa..., pero su dualidad no penetra hasta el núcleo central del ser; aquí domina a lo puramente humano el perfil acabado del hombre y de su vida, que sólo en una capa superior se reviste con la oposición de varón y hembra»[55].

Miguel Angel en su *Juicio final*, en general, dio preferencia a la representación de varones, y así la figura femenina se nos queda en un segundo lugar, aunque no se excluya en forma que podamos pensar que él, como algunos teólogos, interpretaba el texto de San Pablo —«como varones perfectos» (Ad. Ephes. 4. 13)— en un sentido literal. La opinión más general de teólogos que nuestro tratadista Interian de Ayala en *El pintor cristiano y erudito* comentaba diciendo «que así en el cielo, como en el infierno, después de la resurrección no habrá diversidad de sexo cuanto al uso, pero sí cuanto a la substancia y existencia de ellos»[56] venía a coincidir con esa unitaria visión y concepción del ser humano que igualmente borra la polaridad de sexo al mismo tiempo que exalta lo esencial y más profundo del vivir.

Aunque entraña una aparente contradicción, se puede afirmar que esas desnudeces que como en ninguna otra obra se ofrecen extremadas y en mayor número en el *Juicio final*, responden a una profunda necesidad expresiva de índole religiosa. Esta representación del supremo drama de la vida del cristiano pierde fuerza y sentido en la misma proporción en que se interpongan o intervengan elementos artificiales o de la naturaleza inanimada. En el momento en que no caben disfraces ni máscaras, ni trajes, ni hábitos; esa desnudez del cuerpo no sólo responde a la realidad de una resurrección de la carne, sino que además refuerza el sentimiento de la desnudez del alma en el momento del juicio.

    55. JORGE SIMMEL: *Miguel Angel*. En «Cultura femenina y otros ensayos». Madrid, 1934, págs. 269 y 275.
    56. FRAY JUAN INTERIAN DE AYALA: *El Pintor christiano y erudito o Tratado de los errores que suelen cometerse frecuentemente en pintar y esculpir las Imágenes sagradas...* Madrid, 1782, pág. 481.

Estos desnudos no se pueden dar ni explicar como una exaltación de belleza de lo humano acorde con una estética clásico-renacentista de subordinación al arte, de la moral y de la religión. El enfrentarse con el Cristo juez ha de ser en plena desnudez de la carne resucitada en su plena intemporalidad. Todo traje o hábito en esa inmensa muchedumbre de bienaventurados y condenados hubiera resultado teatro, disfraz. Su representación hubiera perdido fuerza como lección moral o aviso para otras edades, e incluso fuerza de realidad para los propios contemporáneos. Esa exactitud material de la visión de la humanidad desnuda en el momento del Juicio final fue reconocida más tarde —a pesar de las censuras de moralistas y eclesiásticos— por la Inquisición, aunque fuese accidentalmente. Se ha recordado por algunos críticos comentadores del fresco cómo cuando el Veronés fue demandado en 1573 por el Tribunal de la Inquisición, por haber introducido en la *Comida en casa de Leví* figuras extrañas y frívolas, él intentó excusarse invocando los desnudos de la Sixtina; pero los inquisidores le replicaron que los vestidos no convenían a una pintura que tenía por tema el Juicio final[57].

La perennidad del gran fresco de Miguel Angel no radica sólo en la altísima calidad estética, ni aspiraba su autor a fundamentarla sólo en la belleza y perfección del arte. La perennidad está también, y sobre todo, en ese valor representativo y expresivo. Eternidad artística, sí, pero, además, eternidad de sentido para el cristiano, sin el menor elemento —fuera del inalterable de su estilo— que lo sitúe, exactamente, en una época determinada. Lo mismo habla al contemporáneo del artista que al hombre de hoy y que al hombre de mañana. Su voz potente, atronadora, seguirá resonando a través de los siglos, llamando a la humanidad para que medite y se arrepienta antes de que escuche la terrible llamada y tenga que oír las últimas y definitivas palabras de Cristo. Esa es la

57. MARGARETTA SALINGER: *Michel-Ange. Le Jugement dernier.* Texte de... París, 1961, pág. 16. También A. Malraux: *Ob. cit.*, pág. cit.

lección que, como un sermón representado, dio Miguel Angel en su tiempo y la que sigue dando a las gentes que día tras día acuden en masa a la Capilla Sixtina.

Universidad de Granada.

IV. EL «SOLDADO MUERTO»
DE LA NATIONAL GALLERY Y SU ATRIBUCION

Publicado en «Arte Español». Número correspondiente al tercer cuatrimestre de 1949. Madrid.

La reciente limpieza de que ha sido objeto este discutido lienzo creo que permite, por más de una razón, señalar de una manera más concreta y segura su filiación, así como descubrir más plenamente el sentido del asunto que representa[1].

Al poder contemplar más limpiamente su técnica y colorido y ver, hasta en detalles antes perdidos, su profundo y complejo significado alegórico moralizador, hace pensar necesariamente, volviendo en parte a la atribución antigua, en un posible origen español. Ese lienzo no se pudo pintar más que en España, y hasta nos atreveríamos a concretar: en la corte de España. Porque el asunto no es simplemente un guerrero muerto ni, menos aún, el Orlando de que primeramente se hablara, sino una alegórica composición de completo sentido de *vanitas*. Porque, además de la figura, no hay en todo su conjunto un solo elemento que no tenga un sentido o una intención moralizadora de lección referida a lo humano: los huesos y calaveras, el sepulcro que se adivina, el fondo de atardecer y el candil humeante, que, por cierto, por no comprender el tema del cuadro, se consideró algún tiempo como una lámpara encendida iluminando el cadáver. La restauración ha descubierto, además, unos charcos de agua con pompas o burbujas que refuerzan aún más esa general expresión de lo vario y fugaz de la vida humana: de lo inconsistente de todo su poder y grandeza. Y precisamente este pensamiento que plásticamente aquí se representa, había sido divulgado por la literatura ascética

1. Para la historia de sus limpiezas, barnizados y restauración, véase *An exhibition of Cleaned Pictures (1936-1947)*. The National Gallery, 1947.

española. En su *Libro de la Oración y Meditación* recogía fray
Luis de Granada este comparar «las vidas de los hombres
a las campanillas o burbujas que se hacen en los charcos
de agua cuando llueve, de las cuales unas se deshacen luego
en cayendo, otras duran un poquito más y luego se deshacen,
otras también duran algo más, y otras menos. De manera
que aunque todas ellas duran poco, en ese poco hay grande
variedad» [2].

Es, indiscutiblemente, este lienzo de las obras que mejor
ejemplifican en la plástica ese general sentimiento de desengaño que, desbordando impetuoso los cauces de la literatura
ascética y moral, invade nuestra lírica y dramática, alcanzando su culminación en *La vida es sueño*, de Calderón. E
igualmente en la pintura dio vida a los lienzos de *las Postri-
merías*, de Valdés Leal, y a los bodegones moralizadores de
Deleito y Pereda, sobre todo los célebres del último, *Vanitas*
y *El sueño del Caballero*. Pero quizá, dentro del pensamiento
barroco, sea entre todos este cuadro el que ofrece un fondo
más concretamente español. Junto al general sentido humano de alusión impresionante a la vanidad de la fuerza y
poder del hombre, parece descubrir una concreta referencia
a la derrota y caída del poderío de España. Ese joven y vigoroso soldado que, ante un fondo de tormentoso atardecer,
yace en tierra, con una mano sobre el pecho y otra sobre la
espada, hasta parece aludir directamente al hecho del hun-
dimiento de la potencia guerrera española que se cumplió
en Rocroy. Con este fondo de realidad histórica el cuadro
cobra su pleno sentido.

Cuando por primera vez Paul Mantz presentó este lienzo
ante la crítica con el título de *Orlando muerto* y como obra
indudable de Velázquez, recordaba su procedencia española:
«según las indicaciones, un poco vagas, del catálogo —de
la Galería Pourtalés—, decoró en otro tiempo uno de los pala-
cios del rey de España». En cuanto al título, se le presentaba
«como un enigma cuya clave no tenemos»; pero le parecía

2. Cap. VIII, punto 3.º

indudablemente obra de Velázquez «en su misterio singular-
mente poderoso y viril»[3].

Adquirido al siguiente año por la National Gallery y hecha
una limpieza y *quitado el barniz*, M. Ph. Burty señalaba cómo
se había visto «que la gruta desaparecía y la pintura había
quedado muy seca». Además parecía descubrirse una firma,
A., que, con el nuevo aspecto, hizo desechar la atribución
a Velázquez y pensar en Alonso Cano, atribución que, como
es sabido, siempre aparece ante cualquier cuadro español
del siglo XVII, de difícil filiación.

Todas estas noticias fueron recogidas en España con mayor
escepticismo, e injustificadamente se le quería rebajar su
valor, esperando no sólo se desechara esa última atribución,
sino incluso desapareciera «del preferente lugar donde fue
colocado y relegado a otro más humilde»[4].

La opinión más general de la crítica mantuvo una actitud
negativa en cuanto a la atribución velazqueña. Entre otros,
Cruzada y Leford, aunque frente al parecer de Sterling y la
posición vacilante del catálogo del Museo, que decía «atribuido comúnmente a Velázquez»[5]. Después quedó como
anónimo español del siglo XVII, recordándose aún el nombre
de Velázquez y el de Zurbarán, pero surgiendo bajo tal rótulo
la indicación de posible obra italiana y junto a ella la atribución a Carlos Skreta (1604-8-1674)[6]. Por último, ha quedado clasificado como obra anónima italiana, figurando así
en el catálogo hecho con motivo de las últimas restauraciones[7].

La primera impresión que recibí al contemplar el lienzo

3. *Gazette des Beaux-Arts*. Septième année. París, 1865 (número de fe-
brero). La Gallerie Pourtales. IV.

4. *El Arte en España*, tomo V. Madrid, 1866. *Otro Velázquez apócrifo*,
por R. SANJUANENA Y NADAL.

5. Véase, entre otros trabajos: *Anales de la vida y de las obras de Diego de
Silva Velázquez*, por G. CRUZADA VILLAAMIL, Madrid, 1885, pág. 334, y MANUEL
MESONERO ROMANOS, *Velázquez fuera del Museo del Prado*, Madrid, 1899, pá-
gina 186.

6. *National Gallery. Trafalgar Square. Catalogue Eugthy*. Sixth edition,
London.

7. Véase nota 1.

fue la de encontrarme ante una obra indudable de la escuela madrileña, del momento inmediatamente posterior a Velázquez. Su técnica y más aún su color, con el característico azul ultramar del celaje —tan raro fuera de esta escuela—, me llevaba a ello. Y lo mismo el asunto tan próximo por su sentido alegórico a composiciones de Pereda. Sin embargo, aunque con algunos recuerdos del arte de aquél, no pensaba en él ni tampoco en Mazo, Carreño ni Arias; me inclinaba más a pensar en Escalante y Antolínez, sobre todo en este último, que incluso parecía confirmarlo la firma, *A.* o *Al.* La valentía y soltura de pincel que demuestra, aparte otras razones, no pueden hacer pensar en Arias ni Alonso del Arco. Además, Antolínez, como se sabe, gustaba de firmar. Las relaciones que con su arte ofrece —pese a la impresión extraña que a alguien le pueda producir el asunto—, nunca estará más distante en relación con sus lienzos religiosos de lo que resulta su *Pintor pobre*.

El tipo del joven soldado muerto, con sus rasgos de tosquedad y aspereza, es análogo del *San Juan Bautista* que existía en la catedral de Valencia[8]. Tampoco es único en su obra ese fondo tempestuoso de nubes plomizas con rompientes luminosos, aunque aquí la nota sombría, lógicamente, se acentúe. Pero aunque nuestra visión de la pintura de Antolínez esté esencialmente apoyada en cuadros tan distintos como lo es su grupo de *Inmaculadas* y los análogos del *Tránsito de la Magdalena*, se pueden señalar coincidencia de técnica, color y pormenores que acortan esa aparente distancia de esos cuadros al que nos ocupa.

Está pintado este lienzo sobre un fondo general de imprimación terroso-rojiza que, en algunos trozos, se percibe hoy con claridad. Algo análogo descubre el fondo de la *Inmaculada* de Oxford. Sobre este fondo se destacan las cosas como pinceladas sueltas y valientes en claro y en oscuro. Así, con poco color, conservando como tono base

8. Reproducido en *José Antolínez, pintor madrileño*, por JUAN ALLENDE-SALAZAR, «Boletín de la Sociedad Española de Excursiones», Madrid, año XXIII. Primer trimestre, 1915.

Anónimo. *Soldado muerto*. National Gallery. Londres.

ese fondo, están hechos los huesos y calaveras, y contrastando con el espeso empastado del rostro, el cabello deja ver una ligerísima capa de color sobre la que se superponen los toques de claro y oscuro de los mechones iluminados y en sombra. Esta manera de hacer se manifiesta aún mejor en el suelo y trozos de roca. Pero externamente lo que más apoya esta atribución es el color. En primer lugar, los azules del celaje; el ultramar típico con algún trozo matizado en cobalto. También el empastado del pantalón y mangas, en un gris levemente azulado, no está lejano del empastado violáceo de las telas de la *Magdalena* del Museo del Prado. También los tonos ocrizos que nos ofrece la parte del suelo y libros de este mismo lienzo recuerdan, con su manera de hacer igual y lisa, la parte de tierra del cuadro de la National Gallery.

Además, se encuentra en este lienzo algún detalle de técnica muy característico de Antolínez. Es ello el resaltar con toques claros, sobre todo en las angulosidades de la silueta, algún perfil que pudiera confundirse con el fondo y acentuar así la distancia de planos y corporeidad. Son toques finales sobrepuestos, y los vemos bien claros en la citada *Magdalena* del Prado, y que viene a coincidir con lo que se ha hecho para destacar el perfil —frente y nariz— del *Soldado muerto*.

Externamente hay también trozos, como la armadura, que hacen pensar en la que figura en primer término en el *San Sebastián* de la Colección Cerralbo, de Madrid. Por otra parte, en la acertada solución del problema del escorzo que plantea la figura tendida se revelan análogas dotes a las del artista que supo resolver el difícil efecto de perspectiva del *Pintor pobre*, de Munich.

Por último, algunas circunstancias íntimas de la vida del artista, aunque vagas, no dejan de insinuar cierta relación con el tema y ambiente que sugiere el lienzo. El pensar en la representación de un hombre muerto resulta más natural en el hijo de un constructor de cofres y ataúdes; y el que sea un soldado tiene también mejor explicación en quien tuvo hijo inclinado a la carrera de las armas, en la

que, después de muerto el pintor, llegó a ser capitán[9].
Incluso nos ofrece este cuadro un buen fondo a la leyenda
que nos pintaba al joven artista aficionadísimo a la esgrima
que, «desairado por otro espadachín más diestro que él, y
cansado de lo mucho que había batallado en casa de un
maestro de armas con la mala suerte, se le encendió la ca-
lentura maligna que en pocos días le quitó la vida»[10].

Las tres afirmaciones que como conclusión de esta rápida
nota creo pueden hacerse son las siguientes: que es indiscutiblemente obra española del siglo XVII; que puede asegurarse
corresponde a la escuela madrileña, y que, dentro de ella,
obliga a pensar en Antolínez[11].

9.   Véase el trabajo antes citado, que continúa siendo el más importante
estudio hecho sobre Antolínez y donde se rehace su biografía.

10.   CEÁN BERMÚDEZ, *Diccionario histórico de los más ilustres profesores de
las Bellas Artes en España*, Madrid, 1800.

11.   No quiero dejar de anotar que la lírica española de la época presenta,
quizá como ninguna otra de entonces, el más adecuado fondo a este lienzo,
tanto en lo que respecta al tono heroico de evocación del soldado muerto
como al hecho de elegir no ya sólo la muerte o lo fúnebre —tan frecuentísimo
en nuestra poesía barroca—, sino, incluso, la concreta alusión o presentación
del cadáver como centro de la composición. Recordamos en cuanto a lo primero —y sin más intención que ofrecer unos ejemplos— los sonetos de Bocángel:
«A un soldado... que matándole en un hecho de armas, se quedó un rato de
pie después de muerto»; la décima de Francisco de la Torre: «Al valeroso ara-
gonés Miguel Bernabé, que al morir quemado en la defensa del Castillo de
Báguena, quedó maravillosamente, con las llaves de él, entero el brazo», y,
sobre todo, la serie de composiciones que determinó la muerte de D. Martín de
Alarcón ocurrida «en la recuperación del Fuerte de San Juan de los Reyes,
de Barcelona, subiendo el primero en el ataque, y abrazado con el Gobernador,
se mataron uno al otro», hecho que fue cantado por Calderón, Ulloa Pereira,
Vera y Figueroa, Nicolás Antonio, Juan de Zabaleta, Francisco de Avellaneda
y Luis Tineo de Morales. En cuanto al segundo hecho, merecen citarse las composiciones de Antonio Hurtado de Mendoza: «A una dama que miró a un
hombre muerto»; de López de Vega, «A la vista del cadáver de una dama»,
y de Henríquez, «Damin a un cadáver».

V. LO PROFANO Y LO DIVINO EN EL RETRATO
DEL MANIERISMO Y DEL BARROCO

La síntesis de este trabajo se expuso como comunicación en el Congreso Interna-cional de Historia del Arte celebrado en Granada en septiembre de 1973. Unos frag-mentos se publicaron como artículo en la revista «Goya» en 1974, incluido con adiciones en la segunda edición de nuestro libro Manierismo y Barroco. Madrid, 1975.

Nos proponemos solamente en esta serie de notas hacer unas consideraciones paralelas y confrontadas sobre las más complejas y entrelazadas formas del retrato que ofrece la historia de la pintura en la época moderna —concretamente en el Manierismo y en el Barroco—, aunque sus antecedentes puedan encontrarse en la Antigüedad romana. Nos referimos al retrato mitológico, que se une en gran parte a la concepción alegórica y emblemática, y al sentimiento de lo heroico —esto es, la visión elevadora al mundo ideal de la Antigüedad—, y al retrato «a lo divino» que supone también, a veces, junto a la visión del personaje como santo —casi siempre femenino—, la presencia de lo alegórico. Algunos interesantes comentarios han dedicado a estos aspectos Würtenberger y Mario Praz. También Panofsky ha hecho finos análisis de algunos retratos inspirados por la espiritualidad neoplatónica. En sentido análogo hay que recordar a Wind. A todo ello nos referimos en concreto después. También puede enlazarse a esta forma la visión del retrato con sentido alegórico moralizador, expresión viva del sentimiento de desengaño de los bienes y goces temporales que se impone en pleno Barroco hasta llegar a identificarse con el cuadro de «Vanitas». Como complemento y refuerzo de nuestros puntos de vista aducimos una serie de textos poéticos españoles.

Todas estas formas complejas y exóticas del retrato —donde la intencionalidad estética de la obra de arte no se centra en sí misma— se forman y desarrollan precisamente en la época del clasicismo manierista, cuando se impone un concepto neoplatónico de la belleza que anteponía la «idea» interior de lo bello sobre lo concreto de la realidad y por otra parte el intelectualismo artístico no se satisfacía con la mera representación del modelo, aunque se recreara con sentido analítico, casi científico, en la visión formal pormenorizada de lo externo. John Pope Hennessy, en su libro «The Portrait in the Renaisance», señala que junto al tipo normal de retrato hubo «un segundo tipo de retrato... en el que la expresión directa fue reforzada por recursos literarios»[1]. El dice «peculiar del Renacimiento», pero tengamos presente que emplea el término en su concepción cronológica más amplia. A dicho tipo dedica el capítulo V, «Image and Emblema», y en él se incluyen algunos de los que nosotros consideramos como alegóricos, mitológicos y a lo divino.

En consecuencia con los principios de la estética manierista, como en Lomazzo y Carducho —que luego citamos—, no se estimaba el retrato como género propio de los buenos pintores y sólo lo admitía en la representación de las altas personalidades —Reyes, Papas, Emperadores, nobles y grandes figuras del saber y de las letras—, y dentro de una normativa que exigía no ya la compostura externa —a veces hasta lo convencional y rígido—, sino la exaltación de las virtudes genéricas, que correspondían al cargo o dignidad o a los valores intelectuales y creadores, y no los concretos rasgos humanos individuales. El retrato —como el paisaje— no lo estimará Miguel Angel como materia propia del gran arte; por esto cuando aparece en él es en el *Juicio final* —primer arranque del Barroco—, pero en formas complejas e intencionadas, según estudió Achille Bertini Canoso[2]. Conocidos son sobre todo dos retratos; los de los que le atacaron por las desnudeces de la composición. Como ya recordó Vasari, en la figura de Minos en el infierno, con orejas de asno, como cuernos, retrató a Meser Biagio da Cesena, maestro de ceremonias del Papa Pablo, y en el San Bartolomé retrató al Aretino y, precisamente, colocando además el artista su propio autorretrato en la piel que muestra el santo.

1. *Ob. cit.* New York, 1966. p. 205.
2. Véase «Ritrati nel *Guidizio universale di* Michelangiolo», en «Michelangiolo Buonarroti nel IV Centenario del *Guidizio universale*». Firenze, 1942.

Si Miguel Angel dio entrada al retrato no extrañará que éste se impusiera en su más propio y exacto sentido, de exaltación de lo individual único, frente a toda belleza ideal y formas genéricas abstractas en el Manierismo, uniendo recursos literarios y emblemáticos para subrayar la complejidad psicológica e intelectual del retratado. Después todo se centró en lo profundo de lo anímico, en el rostro que se valora como el espejo del alma. Esto es lo que plenamente se logra en el Barroco, aunque no se pierden tampoco los complementos de sentido alegórico y emblemáticos, si bien entonces se centran en la exaltación del retrato moralizador y «en las formas ambiguas» del retrato a lo divino y mitológico. Además siguen su desarrollo las composiciones alegóricas —y mitológicas— que integran en ellas el retrato.

El hecho de esta progresiva importancia y extensión del retrato no se debió a un proceso de evolución de este género pictórico orientado por los artistas, sino sobre todo a la imposición de la demanda o exigencia de cada vez más amplios sectores sociales, en su natural tendencia ascensional y bienestar económico que les llevaba, lógicamente, a participar del privilegio y moda de las clases superiores. Por esto la censura y hasta violenta reprobación del hecho se constata en el escritor y artista docto en contacto con la nobleza y las altas dignidades eclesiásticas. Würtenberger, en su conocido libro sobre el «Manierismo» —como luego veremos—, recordará éstas. Y nosotros ya hace tiempo recordábamos cómo en pleno Barroco, un pintor docto y tratadista como Carducho —apegado a las ideas del tardío manierismo— aún más violentamente arremetía contra esto que estimaba «demasiada licencia». La moda, pues, había invadido todos los sectores sociales. Esa moda nos la confirma la novela —quizá mal llamada «cortesana»—. Así lo vemos en *El prevenido engañado,* de doña María de Zayas. En la visita que dos galanes hacen a unas damas vemos que una de ellas «estábase retratando (curiosidad usada en la corte) y para esta ocasión estaba tan bien aderezada, que parece que de propósito para rendir a don Fadrique se había vestido con tanta curiosidad y riqueza. Tenía puesta una saya entera negra, cuajada de lentejuelas y botones de oro, cintura y collar de diamantes y un apretador de rubíes». Ante el rico y artificioso retrato el galán le dirigirá un galante romance ponderando a la dama como zagala y a la obra del pintor. Pero además, hasta el pintor del Rey, como Velázquez, estimaba dignos de ser retratados —con la misma importancia que la familia real y la nobleza— a toda la triste y pobre gente constituida por los bufones, con la añadidura no pequeña de ser deformes y locos. Siguiendo la revolucionaria actitud de nuestra literatura, con el Lazarillo, frente a las jerarquías y estético-sociales renacentistas, el artista español erige en protagonista y centro de la obra de arte al más humilde, pequeño y despreciado ser humano. El hecho se reafirma con el «Pícaro Guzmán de Alfarache».

El retrato se impuso, pues, como género dominante. Por eso Spengler pudo ofrecer este género que representa lo concreto único individual en su devenir como algo característico del alma fáustica occidental que se expresa en el Barroco, frente al desnudo exaltado en el Renacimiento como belleza ideal, común y genérica de lo humano, propio del sentido intemporal del clasicismo[3]. Fue por ello una moda o tendencia general de la que gustó el artista y exigieron las gentes. Podríamos decir, utilizando una expresión de Friedländer —que distingue entre el «retratista» que utiliza el medio de la pintura y el «pintor» que además «hace retratos»— que en el Manierismo lo predominante será este último caso, mientras que en el Barroco lo que más abunda es el primero[4].

En todas esas formas de retrato antes aludidas, con sus variantes e interrelaciones, se descubren determinantes de distinta índole, con un predominio de lo estético ideológico de raíces humanísticas en la época del Manierismo, y de los propiamente sociales y psicológicos —moda, afán de con-

    3.   OSWALD SPENGLER, *La decadencia de Occidente* (trad. M. García Morente), 1.ª parte, vol. II, págs. 85 y sigs.
    4.   MAX J. FRIEDLANDER, *Landscape, Portrait, Still-Life Their origin and development.* New York, 1963, pág. 233.

templarse y vida espiritual— en la época del Barroco, con
la consiguiente propagación, e incluso popularización de
lo que en sus comienzos pudo ser creación del intelectualismo del artista docto o de la moda de una selecta minoría.
En el fondo todo ello surge para distinguirse ante la difusión
de un género que se estaba haciendo del dominio de todos
y al que había por ello que elevarlo o buscar exotismos y
refinamientos de distinta índole. Es el movimiento normal,
tanto en la moda como en los estilos artísticos y literarios.

Algunos de los aspectos del retrato que aquí se comentan
los habíamos considerado con más o menos amplitud en
trabajos anteriores. En primer lugar, en un artículo, «Retratos
a lo divino», adujimos unos textos poéticos españoles del
Barroco, que testimoniaban lo indiscutible de esa moda de
retratarse las damas con gesto y atributos de santas, para
intentar con ellos dar una interpretación al tipo y rasgos
con que se ofrecen los cuadros con figuras de santas rea-
lizados por Zurbarán[5]. Con ello contraponíamos el predominio de dicho tipo de retrato a lo divino en España,
frente a la abundancia del retrato mitológico en Francia
en esa misma época del Barroco. Más tarde, en un ensayo
de caracterización del estilo, visto desde hoy, como «Lección
permanente del Barroco español», señalábamos la presencia
e importancia del retrato moralizador en dicha época, como
expresión de una visión sensorial trascendente típica del
espíritu de dicha época[6]. Y por último en nuestro libro sobre
«El Teatro y la teatralidad del Barroco», volvimos a considerar
ambos tipos de retratos como expresión, en parte, de determinantes sociales; concretamente de las fiestas de corte y

5. «Retratos a lo divino. Para la interpretación de un tema de la pintura
de Zurbarán», en *Arte Español*, 4.º trimestre, 1942. Incluido con ligera adición
en *Temas del Barroco*, Granada, 1947. En la introducción de este libro hicimos
consideraciones generales sobre el retrato y el Barroco.

6. *Lección permanente del Barroco español*, Madrid, 1952 y 1956, 2.ª edición. Incluido en *Manierismo y Barroco*, Salamanca, 1970, págs. 51 y sigs., 2.ª
edición, ampliada, Madrid, 1975. El ejemplo más importante en nuestra poesía
lo publicamos después en nuestro libro *Amor, Pintura y Poesía en Carrillo
y Sotomayor*, del que luego hablamos. Granada, 1968.

sobre todo como consecuencia general del predominio del teatro como espectáculo y arte de toda la colectividad social, que teatralizó no sólo las artes y las manifestaciones solemnes de la actividad civil y religiosa, sino también las formas y conductas individuales en la vida[7].

Partimos, pues, en estas notas del hecho previo —ya también considerado en alguno de los dichos ensayos— de la importancia del retrato como género pictórico dentro de dichos períodos y, en especial, de su esplendor en la época del Barroco, el gran momento del enriquecimiento temático de la pintura occidental.

LA ESTETICA E IDEOLOGIA MANIERISTA Y EL RETRATO ALEGORICO Y MITOLOGICO

La ideología paganizante que, asociándose ideas cristianas y neoplatónicas penetró, más de lo que a primera vista parece, en las artes y en la vida del Renacimiento, se extrema en su expresión plástica con un complejo sentido intelectualista en la época del Manierismo, alcanzando incluso al género del retrato que entonces inicia un más amplio desarrollo que llevará al esplendor del retrato barroco. Así, de acuerdo con aquel espíritu llega a hacerse frecuente, entre otras formas de híbrido y complicado intelectualismo, la representación del personaje contemporáneo con un sentido alegórico o de concreta divinación mitológica. Considerando dicho fenómeno en el setecientos inglés Mario Praz ha recordado recientemente que este rasgo de la idealización del tema contemporáneo «presentando personajes modernos en circunstancias de la historia y de la mitología, databa de los tiempos de Alejandría y de la Roma imperial, cuando los soberanos eran representados con atributos propios de la divinidad, y duró hasta el tiempo de Canova que representó a Fernando IV de Nápoles con vestido de Minerva, la diosa de la sa-

---

7. Barcelona, 1969. Especialmente el capítulo «La vida pública y de la corte y la fiesta teatral».

Escuela de Fontainebleau. *Diana de Poitiers* (retrato
mitológico como la diosa Diana). Museo del Louvre.

bidurÃa y de la culturaÂ»[8]. Y mucho antes que Mario Praz,
ya Panofsky en sus estudios de iconologÃa, al comentar las
formas del retrato alegÃ³rico mitolÃ³gico en el Tiziano recordaba cÃ³mo este Ãºltimo tipo de retrato habÃa sido moda en
Roma en la Ã©poca de los Antoninos[9].

En su estudio sobre el Manierismo, WÃ¼rtenberger, entre
sus consideraciones sobre las caracterÃsticas del retrato de
este perÃodo, recordÃ³ junto a las formas mÃ¡s puramente
alegÃ³ricas del mismo, algunas de estas complejas e intelectualistas visiones de reyes y grandes personajes representados
con ese carÃ¡cter de divinidad mitolÃ³gica. AsÃ destacaba la
conocida estatua de Carlos V, obra de Leoni, representado
como una divinidad clÃ¡sica domando al Furor, y con la
armadura sobrepuesta que permite ademÃ¡s presentarla con
la desnudez de una figura pagana[10]. Y con desnudez anÃ¡loga,
representado como el dios Neptuno, recuerda junto a Ã©l el
retrato de Andrea Doria hecho por el Bronzino, y aunque
sin concretarse en la representaciÃ³n de una divinidad, los
retratos alegÃ³ricos de Ã©nfasis y atuendo heroico, como el
de Ranusio Farnesio, de Girolamo Mazzuola Bedoli, y el de
Alejandro Farnesio, obra del Vasari, que igualmente presen-
tan al personaje como verdaderos hÃ©roes o dioses de la An-
tigÃ¼edad. El caso mÃ¡s conocido y repetido de esa visiÃ³n mitolÃ³gica pagana en el mundo cortesano fue la representaciÃ³n
de Diana de Poitiers como la diosa Diana cazadora, segÃºn
se ofrece en el lienzo de Luca Penni. Ante Ã©l piensa Wind
en una fusiÃ³n de Diana y Venus, como viene a confirmar el
no menos conocido lienzo atribuido a Clouet que ofrece el
mitolÃ³gico baÃ±o de Diana Â«transformado en una toilette de
Venus con todos los atributos de la diosa del amorÂ»[11]. En
relaciÃ³n con este retrato, nos ofrecen otros manieristas de

8.   *Mnemosine. Paralelo tra la letteratura e le arti visive*, Vicenza, 1971, pÃ¡g. 14.
9.   Erwin Panofsky, *Estudios sobre iconologÃa* (trad. B. FernÃ¡ndez), Madrid,
1972, pÃ¡g. 221.
10.   Franzepp WÃ¼rtenberger, *El Manierismo. El estilo europeo del siglo XVI*,
Barcelona, 1964, pÃ¡gs. 194 y sigs.
11.   Edgar Wind, *Los Misterios paganos del Renacimiento* (trad. J. FernÃ¡ndez
de Castro y J. BayÃ³n), Barcelona, 1972, pÃ¡g. 83.

la escuela de Fontainebleau una serie de desnudos de media figura, ya ante el espejo, ya en el baño, que como dice Silvia Bèguin «son a la vez mitología y retratos»[12].

Praz recordaba también el lienzo del Tiziano en el Museo de Washington con un retrato de señora representada como Venus vendando al Amor. Más compleja —y de sentido no plenamente claro— es la composición de Hans Eworth, recordada por dicho crítico, y antes por Würtenberger, con el *Juicio de Paris*, en el que la Reina Isabel de Inglaterra aparece como saliendo de un palacio, pero con atuendo y majestad real, como si fuera Paris, aunque lo que tiene en la mano no es la manzana[13]. Además, con su presencia, parece asustar y ahuyentar a las diosas. A nuestro juicio más que convertirla en figura pagana la hace intervenir y triunfar como tal reina en la escena mitológica, enlazando historia y mitología como después en pleno Barroco de manera apoteósica y grandilocuente hará Rubens en la gran serie de lienzos de la Galería de Médicis del Louvre, donde vemos a María de Médicis y a Enrique IV en una simultánea convivencia con el mundo cristiano y con las deidades paganas que se ofrecen en su bella desnudez incluso junto a las personalidades de la Iglesia[14].

No olvidemos que ese encuentro, no sólo de la realidad y lo mitológico, sino incluso de lo sagrado y lo profano, se había expresado en la poesía de la época y espíritu de la Contrarreforma y se extrema, como en la pintura, en la época del Barroco, y en ambos momentos como un medio de ornamento y elevación de lo religioso ante lo que se subordina. Casos expresivos los presenta la poesía española. Así un poeta de exaltado espíritu cristiano, como fray Luis de León, nos ofrece en su «Oda a Santiago», la navecilla que conduce el cuerpo del Apóstol, navegando por los mares

---

12. Sylvie Beguin, *L'Ecole de Fontainebleau. Le Manierisme en la Cour de France*, París, 1960, pág. 106.

13. *Ob. cit.*, págs. 120 y 196, respectivamente. Praz reproduce del mismo pintor un retrato alegórico mitológico de Sir John Lutrell de compleja e intelectualista composición.

14. Vid. Louis Reau, «Rubens», *La Galería Médicis*, Barcelona, s. a.

y rodeada de nereidas a millares que alzan su pecho desnudo
desde el agua para aproximarse a la misma [15]. Y más tarde,
con brillantez de pleno barroquismo, el andaluz Pedro de
Espinosa en su canción «A la navegación de San Raimundo a Barcelona» aún recarga ese mundo de deidades
marinas; ya no son sólo nereidas y sirenas, sino que también
Neptuno con su carro llega rápido —volando— hasta cegar
con espuma a los Tritones; y tras él irá apareciendo Nereo
montando un caballo marino, y Tritón, Forco y Proteo;
e incluso toda una escuadra de ninfas [16].

15.   Sobre un fondo de pensamiento cristiano y basado en unos hechos
que quieren ser históricos surge la visión de estas estrofas.

    Por las tendidas mares / la rica navecilla va cortando;
    Nereidas a millares, / del agua el pecho alzando.
    Y de ellas hubo alguna / que, con las manos de la nave asida,
    la aguija con la una, / y con la otra tendida,
    a las demás que alleguen las convida. / ....

V. *Poesías de Fray Luis de León*, ed. crítica por el P. Angel C. Vega, O. S. A.,
Madrid, 1955, pág. 533.
    16.   El desarrollo del ornamento descriptivo mitológico alcanza un punto
extremo en esta obra maestra de nuestra lírica religiosa barroca, envolviendo
hasta lo deslumbrante la figura central del santo. Basta como ejemplo esta
estancia por la cumulación de elementos aunque no por la riqueza luminosa
colorista de este poeta y pintor que en brillantes armonías luce más en las
estancias anteriores:

Arrojan los delfines   que con hendido pie va el mar
por las narices blanca espuma en arco   [hendiendo.
sobre el profundo charco,   La escuadra de las ninfas
y, destilando de las verdes crines   ligera en torno zarpa,
aljófar, las nereidas asomaron   midiendo acentos en discante y harpa;
y las dulces sirenas   Y tú, Raimundo, sobre el pobre
sobre pintadas conchas de ballenas: [manto,
Tritón, Forco y Proteo   miras la fiesta, en tanto,
delante se mostraron,   que hace a tu santísima persona
cuando salió rigiendo   el turquesado mar de Barcelona.
un caballo marino el dios Nereo, ...

Obras de Pedro de Espinosa, coleccionadas y anotadas por D. Francisco Rodríguez
Marín, Madrid, 1909, págs. 23 y sigs.

MITOLOGIA, SENTIMIENTO DE LO HEROICO Y ESPIRITUALIDAD NEOPLATONICA EN EL RETRATO

La visión de sentido heroico en cuanto a la interpretación de la figura real y la figura de santos con atuendo y ademán de héroe o dios de la Antigüedad pagana fue, como estudió Weisbach, un elemento del arte de la contrarreforma, pero, según puntualiza, aunque el Barroco lo transforma con un estilo y sentido propio, deriva claramente de ese intelectualismo del Renacimiento humanístico del momento manierista. Ello llevaba consigo, no sólo una ideal figuración de lo humano, sino también una psicología y un estilo. Y observemos que este concepto de estilo heroico pasará a la poesía, que lo considerará como una forma de expresión levantada de tono y exorno, independientemente del tema o asunto. La Iglesia como ve Weisbach la estimó útil a sus fines «con tal que fuesen representados sus progresos y su voluntad que gustaba de ver presentada bajo un aspecto heroico, en simbolizaciones expresivas generales elevadas a una validez universal»[17]. En la formación de ese estilo dentro del manierismo fue esencial —según ve el mismo crítico— «la herencia de Miguel Angel aliada en parte a elementos rafaelescos». Ya con él mismo «en las tumbas de Julio II y en las de los Médicis llegó a alcanzarse una fusión de heroísmo clásico y religiosidad cristiana»[18]. Anotemos por nuestra parte cómo en estas últimas, en las figuras de Giuliano y Lorenzo de Médicis encontramos la realización plena del ideal de retrato heroico; hasta hacer que no sea retrato, sino su contradicción. Más que alegorías —con atuendo de héroe de la Antigüedad— de la Acción y el Pensamiento, como se ha dicho con frecuencia, hemos de ver en cada una de ellas —desarrollando la acertada y profunda interpretación de sentido platónico, dada por Charles de Tolnay —como una reencarnación del alma inmortal que colocada sobre las alegorías del tiem-

---

17. WERNER WETSBACH, *El Barroco, Arte de la Contrarreforma* (trad. E. Lafuente Ferrari), Madrid, 1942, pág. 181.
18. *Id.*, pág. 97.

po —*Aurora* y *Crepúsculo, Día* y *Noche*— «se eleva por encima
de ellas, en una región inaccesible a las fuerzas ciegas del
Tiempo. Liberadas de las ligaduras del cuerpo, el alma de los
muertos se reencuentra en su verdadera esencia, por la contemplación eterna de la idea de la vida, simbolizada por la
Virgen y el Niño»[19]. Por eso, los dos miran hacia ella como
absortos en su contemplación.

El caso extremo en la representación del retrato mitológico,
con la vestidura heroica, conforme con ese intelectualismo
manierista, lo marca a nuestro juicio el retrato andrógino
de Francisco I, publicado por Wind, cuyo fondo ideológico
magistralmente analiza[21]. Se ofrecía, así, como una representación del hombre universal y, como se dice en los versos
que lo acompañan, se reúne en su imagen y atributos Minerva, Marte, Diana, Amor y Mercurio. Como comenta
agudamente Wind, «la conmoción que representa ver a un
guerrero barbudo mostrando la anatomía de un virago
queda dulcificado por el estilo emblemático del cuadro que
reduce el retrato a un dibujo jeroglífico, una cifra de perfección divina:

> O France hereuse, honore donc la face
> De ton grand roi qui surpase Nature;
> Carl honorant tu sers en même place
> Minerve, Mars, Diane, Amour, Mercure.

Dentro de su extravagancia —continúa Wind— estos cum-
plidos cortesanos vuelven a una forma primitiva de representar la comunión del hombre Dios: su concepción de lo
sobrenatural como compuesto».

Otra representación de compleja y profunda significación
ideológica y hasta espiritualizada de retrato alegórico es la

19. CHARLES DE TOLNAY, *Michel-Ange* (Ed. Flammarion), París, 1970, pág. 86.
20. *Ob. cit.*, pág. 273.
21. *Ob. cit.*, pág. 214, fig. 80. Al dar a la imprenta este trabajo hemos tenido
noticia de la aparición del libro de Françoise Bardon «Le Portrait Mythologique
à la cour de France sous Henri IV et Louis XIII». París, 1975.

que nos ofrece Tiziano en su composición, mal llamada, «Alegoría del Marqués de Avalos». Ha sido Panofsky quien, con aguda y razonada penetración, ha revelado el enigmático sentido de este doble retrato de dama y caballero a los que se acercan alegóricas figuras. Externamente —digámoslo con las palabras del gran crítico— «muestra a un caballero distinguido, de aspecto solemne, con armadura, rozando afectuosamente y, sin embargo, con respeto, el pecho de una joven, que pensativamente sujeta en su regazo un gran globo de cristal. La saludan tres figuras que se acercan por la derecha: un Cupido alado, que lleva a hombros un haz de leña; una muchacha coronada de mirto y cuya expresión y gesto revelan un profundo respeto, y una tercera figura levantando un gran cesto lleno de rosas y mirando hacia el cielo con alegría y animación». Pero, como certeramente señala a continuación el gran crítico: «El tema de esta composición, no es la despedida de un condottiere que se va a la guerra, como se creyó cuando se mantenía que se podía identificar a la figura masculina con el Marqués de Avalos, sino, por el contrario, la Unión Feliz de unos prometidos o de una pareja recién casada. El gesto del caballero —añade— se encuentra en representaciones como los Esponsales de Jacob y Raquel, o incluso de una forma más hierática, en la Novia judía de Rembrandt; y las tres figuras supletorias no son sino Amor, la Fe y la Esperanza, provistos de atributos especiales adecuados a la ocasión»[22].

Estamos, pues, ante una representación cargada de significados y connotaciones que sus contemporáneos y seguidores comprendieron manteniéndose como una forma de retrato aceptado por artistas y sector social distinguido. Pero su complejidad es mayor; por eso Panofsky completa su comentario: «El cuadro de Tiziano, sin embargo —puntualiza—, no es sólo un retrato alegórico, sino también mitológico». La relación afectuosa entre una bella mujer y un caballero con armadura combinada con la presencia de Cupido, sugiere a Marte y Venus. De hecho, mientras algunos

22. *Ob. cit.*, págs. 218 y sigs.

de los seguidores e imitadores de Tiziano intentaron variar
(con poco éxito) los elementos alegóricos de la composición
de Avalos, otros la utilizaron como modelo para retratos
dobles de parejas elegantes posando como Marte y Venus. Y
cita a continuación un cuadro de la escuela de Pablo Veronés,
dos de París Bordone, uno de ellos claro cuadro de bodas,
y otro de Rubens.

La unión de Marte y Venus no tenía para Tiziano el sentido
homérico de pasión furtiva, «sino la fusión propicia de dos
fuerzas cósmicas que engendran armonía». Algo —nos agrega— que suponía volver «a instaurar un tipo corriente en el
período antonino del arte romano, en el que la interpretación
alegórica y el retrato mitológico estaban igualmente de
moda»[23]. Ahora bien, anotemos que esa asociación de carácter mitológico, como también la alegórica, no entraña en
este caso un sentido paganizante, sino todo lo contrario.
En el fondo late un neoplatonismo que espiritualizaba con
su interpretación los mitos y misterios paganos, asociándole
el espíritu cristiano.

Otra extraña interpretación del retrato mitológico, pero
también dentro de la complejidad intelectualista del Manierismo, es la que ofrece Archimboldo dentro de su concepción
del bodegón alegórico naturalista antropomórfico. Así, Benno
Geiger —su mejor crítico— sostenía —según recuerda y ra-
tifica Marcel Brion— que el Vertumno de la Colección del
Baron von Essen —en Skokloster, Suecia— hecho con frutas,
legumbres y flores, representa al Emperador Rodolfo II[24].
Aunque sin citar a éstos, Würtenberger lo reafirma, recordando que Rodolfo II «era un gran amante de la horticultura
y la jardinería, como su padre; además —añade— Vertumno
es la figura simbólica de la metamorfosis sexual, pues refiere Ovidio que el dios Vertumno se aproximó a la ninfa de
los jardines Pomona, bajo varios disfraces, entre el que se
incluía el de vieja». El mismo Würtenberger reproduce en
su libro sobre el Manierismo el cuadro del Otoño, cuyo rostro

23. *Id.*, págs. 220 y sigs.
24. *Art fantastique*, París, 1961, págs. 137 y sigs.

también acusa en sus rasgos los del mismo emperador[25]. Y Benno Geiger también señaló que el Invierno, de la Colección Kötzer —Nueva York— representa a un alto personaje de la Corte miembro del Toisón de Oro según queda aludido en alguno de sus elementos.

Todas esas versiones mitológicas y arcádico pastoriles del retrato responden también a un fondo humanístico intelectualista de la doctrina estética del Manierismo que había convertido a los antiguos en modelos a imitar, antes que la propia realidad. Por eso quedan perfectamente enfondados por el tono y expresiones de la Literatura y especialmente de la Poesía manierista, donde junto a lo neoplatónico y petrarquista que matiza toda la lírica amorosa, ya se inicia esa visión heroica de lo humano contemporáneo que levanta al personaje al plano ideal intemporal de la Antigüedad como deidad, héroe, ninfa o pastora. Para citar un ejemplo español, recordemos cómo el Góngora joven, seducido por el pensamiento y estética manierista, verá a don Alvaro de Bazán, al Marqués de Santa Cruz, como *católico Sol de los Bazanes;* a Felipe II como *Salomón Segundo,* y a los Reyes Católicos como la *cristiana Belona* y el *católico Marte.* Y en su momento de esplendor barroco, con visión hiperbólica y ornamental, en la plenitud de su estilo heroico llamará al joven Duque de Lerma, al hacer su *Panegírico, Hipólito Galán, Adonis casto;* y presentándolo en la más dinámica y pictórica visión —en un todo paralela a la que nos ofrece Rubens en su San Jorge matando al dragón— de jinete cabalgando veloz:

> *Ya centellas de sangre con la espuela*
> *solicitaba al trueno generoso*
> *al caballo veloz, que envuelto vuela,*
> *en polvo ardiente, en fuego polvoroso*[26].

Y lo mismo podríamos encontrar en Góngora —como en tantísimos poetas de su época— la identificación de la Amada

25. *Ob. cit.,* pág. 196.
26. Ed. Millé. *Obras completas de don Luis de Góngora,* Madrid, s. a., sonetos 249 y 255, y romance 22 («A Granada»).

con la figura idealizada y paganizante de un mundo pastoril. Ese mundo arcádico pagano hará, en consecuente expresión, que la ficción mitológica se traslade a hechos y ritos cual si los dioses paganos de la Antigüedad lo rigieran. Así un buen conocedor de la poesía de Góngora como Jammes, creerá descubrir en alguno de los sonetos amorosos no ya sólo formas —a nuestro juicio excediéndose—, sino un íntimo sentido pagano[28]. Ese mundo de ficción de lo arcádico y mitológico pagano explica cómo proliferan como moda —sobre todo en reuniones y academias poéticas— los nombres pastoriles tras los que se esconden, sobre todo, las damas; pero también caballeros y poetas. Recordemos el círculo poético en que vive un poeta como Herrera y los nombres poéticos en que se encubren la Condesa de Gelves, su esposo y el propio poeta.

LA VISION HEROICA Y MITOLOGICA DEL RETRATO DENTRO DE LA ESTETICA Y SOCIEDAD BARROCA

El retrato mitológico interpretado con estilo heroico —o con visión realista— será tema gustado y repetido en el Barroco. Si en la representación de la figura religiosa —como dijimos, siguiendo a Weisbach—, cargando el realismo de rasgos y expresión en los rostros, se mantiene la visión de lo heroico —aunque no sea especialmente característico en lo español, pues se avenía mal con su sencillez ascética y elevación mística—, como se repite en lo italiano y extrema en Rubens, es natural y consecuente que en el ambiente cortesano se desarrolle también el gusto por ese tipo de ficción en el retrato. Incluso encontramos un caso en la escultura que merece destacarse. Nos referimos a la estatua conmemorativa de Carlos Barberini existente en el Palacio de los Conservadores de Roma. Según nos dice Wittkower, en su catá-

27.   Ed. cit. «Panegírico al Duque de Lerma», n.º 420. Estrofas 8 y 9.
28.   ROBERT JAMMES, *Etudes sur l'oeuvre poetique de don Luis de Góngora y Argote*, Burdeos, 1967, pág. 365.

logo de la obra del Bernini, lo que intencionadamente se hizo en 1630 fue transformar un antiguo torso de Julio César, añadiéndole aquél la cabeza y Algardi las extremidades[29].

En ese hecho vemos todavía la supervivencia de ese sentimiento heroico pagano; pero lo que en general viene a actuar en esta época en la vida de ese tipo de retrato mitológico es algo que arranca de las formas de vida de la sociedad cortesana; nos referimos a una teatralización de la vida —que ya comentamos en otra ocasión y a la que nos referimos en otro punto de este ensayo— que se produce como fenómeno general y que se extrema en la sociedad cortesana que vive bajo el ambiente de ficción de la fiesta de corte en la que la visión mitológica, la arcádica pastoril y la caballeresca y alegórica se ofrecen insistentemente. Como caso extremo barroco de un presentarse en la vida real con ficción teatral de deidad mitológica, nada más expresivo que la forma en que en Roma recibía en su lecho la princesa Colonna lo mismo a la nobleza que a los miembros del Colegio cardenalicio. Como recuerda Artz, «tenía la forma de una enorme concha soportada sobre los lomos de cuatro caballos marinos conducidos por sirenas y bajo las cuales estaban talladas las ondas del mar. El dosel, sobre el lecho, tenía una cortina sostenida por doce amorcillos»[30]. Se presentaba, pues, como la diosa Anfitrite, o la propia Venus, en un refinado saboreo del mundo mitológico. Estas formas de vida se hacen, pues, más normales en el mundo de la sociedad cortesana. Por esto se extremará en Versalles y será Francia, en la Corte de Luis XIV, donde más abunde el retrato mitológico. Basta, entre muchos, como ejemplo síntesis el retrato de la familia real obra de Jean Nocret, verdadera representación de un Olimpo que, como dijimos en otra ocasión, es de una

---

29. Rudolf Wittkower, *Gian Lorenzo Bernini. The sculptor of the roman Baroque*, Londres (2.ª ed.), 1966, núm. 27 del catálogo, pág. 196.

30. Frederick B. Artz, *From Renaissance to Romanticism. Trends in style in Art. Literature, and Music*, 1300-1830, 2.ª ed., Chicago, 1965 (1.ª ed., 1962), págs. 168 y sigs. Véase, además, nuestro libro citado *El Teatro y la Teatralidad del Barroco*, parte III, «La Teatralidad en la vida», págs. 89 y sigs.

aparatosidad cual de final apoteósico de una comedia o ballet mitológico[31].

En la corte de Praga el fenómeno es igualmente frecuente y se dan buenos ejemplos en el gran retratista Karel Skreta. Así el de María Maximiliana de Sternberg —en la National Gallery de Praga— con estilizado traje pastoril se ofrece, dice Olga Strettiovà como en una representación bucólica sentimental —y añadamos que en visión paralela a la que repite la poesía petrarquista manierista—, y el cuadro de Dido y Eneas —en dicha Galería— es probablemente como dice la misma autora «un joven marido con su esposa, re- tratados llevando trajes fantásticos, que pueden haber re- presentado una parte de una comedia o ballet»[32].

Como una expresiva muestra de visión teatral apoteósica del retrato alegórico mitológico, podríamos recordar en el último barroco las grandes pinturas que decoran la sun- tuosa sala de mármol del Palacio de la ciudad en Potsdam; sobre todo el gran conjunto del triunfo del gran Elector obra de Jacob Waillant. Tras el gran Elector que cabalga triunfante coronado por deidades, la Victoria y la Fama, vemos aparecer a su esposa saliendo de los mares en un carro triunfal tirado por caballos marinos, y rodeado de Tritones y nereidas, mientras la protege Neptuno, y varios amorcillos revolotean; uno cogiendo las riendas y otro co- ronándola de flores. El hombruno y maduro rostro de la dama, nada agraciado, hace más llamativa su teatral apa- rición como Anfitrite o deidad marina triunfadora[33]. Ante composiciones como ésta es forzoso pensar como estímulo y determinante en las fiestas palaciegas que hacían realidad

---

31. Se suele titular *Alegoría de la familia real*. Véase: NANCY MITFORD, *El Rey Sol*, Barcelona, 1966. En realidad se trata del más completo y complejo retrato mitológico de la pintura barroca. Los casos de figuras aisladas son in- numerables en la pintura francesa barroca.

32. OLGA STRETTIOVA, *Baroque Portraits* (trad. al inglés de H. Vesela Strans- ka), Londres, s. a. (impreso en Checoslovaquia). Comentarios a las láminas 28 y 32.

33. EDWIN REDSLOB, *Barok und Rokoko in den Schlössern von Berlin und Pots- dam*, Berlín, 1954, láms. 5 a 8.

estas ficciones mitológicas como momentos centrales en el transcurso de la vida cortesana. La teatralización de la vida había llegado a su extremo. Como dijimos, en Inglaterra como en Francia esta moda del retrato mitológico también se hizo frecuente en los siglos XVII y XVIII, aunque irá perdiendo el tono apoteósico y aparatoso. Un ejemplo expresivo de hacia 1650 es el retrato de un jovencito aristócrata —Earl of Romney— como Adonis, obra de concepción a lo Van Dyck de Sir Peter Lely.

TEATRALIDAD, LITERATURA Y REALISMO EN EL RETRATO MITOLOGICO BARROCO

El rasgo de teatralidad y el gusto por el retrato mitológico y pastoril arcádico alcanzó a ambientes de más tranquilo aburguesamiento y a artistas ajenos a actitudes cortesanas, y amantes de la exaltación del tranquilo vivir cotidiano sorprendido en la realidad concreta del espacio y luz que le rodea. En este sentido es interesante el reciente artículo de M. Louttit comentando el lienzo de Rembrandt que representa a Saskia como Flora y explicando su romántica vestimenta por asociaciones e influjos de la literatura y teatro pastoril; como muestra de una preferencia de mediados del siglo XVII, que alcanzó no sólo a la aristocracia, sino también a la burguesía [34]. Llama la atención sobre la publicación de obras de tema pastoril, poéticas y teatrales y, en concreto, sobre un volumen —donde se incluye una comedia pastoril— de un famoso retórico Jan Krul, muy conocido de Rembrandt, que además está ilustrado con grabados donde aparecen figuras femeninas con trajes pastoriles que son de rasgos muy semejantes a los que ofrece Saskia, tanto en el retrato de Leningrado como en el de Londres [35]. Y también señala la seme-

34. M. LOUTTIT, «The Romantic Dres of Saskia van Ulenborch», «Its Pastoral and Theatrical Associations», en *The Burlington Magazine*, mayo, 1973, págs. 317-326.
35. *Les vrais portraits de quelques unes des plus grandes dames de la chrestiente, dequisees en bergeres*, Amsterdam, 1640.

janza de los vestidos de los mismos retratos con la figura de
Sig. Lucía de la Comedia italiana, tal como aparece en el
grabado de Callot en la serie «I Ballidi Sfessania» publicada
en 1622. Pero de los escritos y grabados de más interés
general que cita Louttit —aunque las láminas representan
sólo bustos o medias figuras— es un libro publicado en Amsterdam —con texto en holandés y francés— en 1640, por
Crispijn de Passe; porque demuestra hasta el extremo cuál
era el gusto y sensibilidad para lo pastoril arcádico de la
sociedad aristocrática y burguesa de Holanda en esos años.
La manera como el autor dirigiéndose a las damas justifica
el uso del traje pastoril en los retratos que presenta, es en
verdad interesante: «Hace ya mucho tiempo (bellas Ninfas)
—dice— que he sido importunado por algunos de mis amigos,
de publicar una colección de retratos de damas de todas calidades; pero con la moda y los vestidos en forma de pastoras, y esto bajo nombres ocultos o enigmáticos a fin de
no caer ligeramente en la censura de los críticos» [36].

El libro está dividido en tres secciones: «Algunas de las
más grandes damas de la Cristiandad»; «Damiselas nobles
y damas de calidad»; y «Mujeres e hijas de honorables co-
merciantes». Aparte los grabados interesa también en relación con ellos un poema, que recoge Louttit en su estudio, en-
cabezado con el título «Canción a la moda de las pastoras
de la Corte y de la villa», donde describe detalladamente cuál
ha de ser el traje correspondiente a la visita o vida en los
bellos jardines y haciendas en el campo.

Para nosotros es ésta una muestra más de ese sentido
de teatralización de la vida que se extremó en la época del
Barroco y que —como dijimos y aquí se comprueba— alcanzó
a los países de pensamiento religioso protestante —incluso
puritano— como vemos también en Inglaterra. Aunque el
teatro holandés no pudiera influir directamente en este aspecto, dado que allí las mujeres no intervinieron como
actrices hasta entrada la segunda mitad del siglo XVII,
sin embargo, cabe ese influjo directo porque está confirmada

---

36. Introducción titulada, «Aux Nymphes de l'Amstel».

la presencia de compañías francesas en Holanda hacia las fechas en que pintaba Rembrandt.

Las conclusiones del citado crítico podemos sintetizarlas en lo esencial con un párrafo del final de su artículo: «Los vestidos que lleva Saskia en el retrato de la National Gallery y en el retrato de Leningrado tienen la calidad rica teatral que está perfectamente en simpatía con las descripciones de la literatura pastoril del tiempo, y están a todas luces conformes con las convenciones de los trajes teatrales pastoriles con relación a las pastoras holandesas del siglo XVII. Si el traje en cada caso —añade— es en efecto una forma de ropaje teatral o un traje de mascarada pastoril, o si los vestidos son un ejemplo de moda pastoril contemporánea, usada por Rembrandt para reforzar el tema de una alegoría de la Primavera o simplemente sugerir una cualidad intemporal, no puede ser absolutamente probado»[37]. Pero lo que queda claro es que retratos como ésos no pueden ser interpretados, en cuanto a su tipo, sólo como una pura invención personal del artista.

Creo conviene añadir para nuestro propósito que, aparte los dos retratos, objeto del estudio de Louttit, y de los otros dos que también reproduce —Saskia con sombrero y cabeza de la misma con velo— interesa tener presente, además, no sólo la figura semejante del retrato de Hendrickje con análogo atuendo, sino también otros que, a nuestro juicio, descubren igualmente formas del retrato mitológico o bíblico, dentro del mismo sentido teatral, aunque con espíritu realista antiheroico, propio de la visión del artista —como en España lo ofrece Velázquez—. Así se ofrecen las también medias figuras de Sibila y Minerva del Metropolitano Museum de Nueva York; la Minerva de la colección Weitzner de Londres y, sobre todo, la Juno de la colección Middendorf[38]. También las Lucrecias participan en parte del mismo ca-

37. *Ob. cit.*, pág. 326.
38. Vid. *La obra pictórica completa de Rembrandt*. Introducción de G. Arpino. Biografía y estudios críticos de Paolo Lecaldano. Barcelona, 1971. Núms. 159, 160, 161, 162, 431 y 432 del catálogo.

rácter y algo la Artemisa del Museo del Prado; pero esa
Juno, aunque sepamos se trata de un encargo, representada
evitando la desnudez —cosa que no se dio en sus cuadros
mitológicos y aun bíblicos, pensados e interpretados como
tales—, se representa como un retrato de mujer ataviada,
claramente, de acuerdo con una indumentaria propia del
teatro. No basta para explicarlo el gusto del pintor —que
respondía, por otra parte, a un sentido teatral— por cascos,
adornos e indumentarias exóticas y ricas que saboreaba como
coleccionista; está sobre todo una visión del retrato teatralizado que le lleva también a presentar un Alejandro o un
Aristóteles con sentido de realista retrato contemporáneo de
guardarropía de teatro. Hasta el arte más sobrio y espontáneo como el de Rembrandt se vio envuelto en ese gusto que
imponía una sociedad. Lo más acorde con esa sensibilidad,
dentro del ambiente español es la Flora —u ofrenda a Flora—
de Van der Hamen que tiene todos los rasgos —así lo piensa
también Julián Gállego— de ser un retrato alegórico mitológico [39].

Como vemos, de la compleja concepción ideal intelectualista del Manierismo, en el Barroco sólo queda la materialidad
de unos atributos que se unen a figuras cuya individualidad
se exalta dentro del mundo cotidiano contemporáneo. Así
la crítica durante años y años ha podido dar como cuadro
realista de género una compleja composición mitológica
como las «Hilanderas» de Velázquez, porque la fábula de
Aracne representada al fondo y, posiblemente, las Parcas
en primer término, se ofrecía como la concreta visión ins-
tantánea del taller de Tapices de la calle de Santa Isabel. También su «Sibila» de perfil igualmente en el Museo del Prado, por
tratarse de un retrato *a lo divino* bíblico de su propia esposa,
es aludido normalmente sólo como retrato. Los dos más grandes pintores de ese momento, en ambientes distintos, no
sólo cambiaban la concepción del tema histórico mitológico
—y en general la visión de la realidad—, sino que también
se hacían eco de una moda.

39. Julián Gállego, *Visión y símbolos en la Pintura española del Siglo de
Oro*, Madrid, 1972 (1.ª ed. francesa, París, 1968).

Juan van der Hamen.
Ofrenda a Flora.
Museo del Prado.
(Retrato mitológico).

Bronzino.
Andrea Doria
representado como
el dios Neptuno.

SOBRE EL ORIGEN Y FORMAS
DEL RETRATO A LO DIVINO

En cuanto al retrato que llamamos «a lo divino» es de
señalar· cómo en sus comienzos, coincidiendo con la época
del Manierismo y de arranque del movimiento contrarreformista, encontramos ejemplos de complejidad de concepción
ideológica paralela a la del retrato alegórico y mitológico
que une la visión heroica con la divinización de sentido cristiano. Hay un caso de la escuela de Fontainebleau muy
expresivo: el retrato de Juan de Dinteville como San Jorge,
obra del Primaticio [40]. Tiene el atributo del dragón, como le
corresponde al santo, pero su compostura, atuendo y movimiento enfático responde a la visión heroica de la deidad
pagana, cual un Marte o un Hércules. Los determinantes
de este tipo de retrato están en el mismo mundo de ideas del
Humanismo que desde el campo del pensamiento y del
arte impulsaron la concepción del retrato mitológico y alegórico. No olvidemos que esas ideas —desde el impulso inicial
del neoplatonismo de Marsilio Ficino— habían buscado un
sincretismo de los misterios y mitos paganos y los del mundo
hebraico y cristiano. Platón y Plotino se habían llegado a
considerar en atrevida metáfora como el Padre y el Hijo
de la concepción espiritual neoplatónica. Sobre todo ello
actuará la nueva religiosidad que parte de Trento; pero el
mundo de formas y de conceptos en que se expresa inicialmente es el intelectualista del clasicismo manierista [41].

En la relación que Mario Praz da de retratos representando
personajes contemporáneos en circunstancias y rasgos de la
historia y de la mitología, recuerda en primer lugar un retrato
de dama de Botticelli, probablemente Catalina Sforza, repre-

40. V. Sylvie Beguin, *Ob. cit.*, pág. 54. También lo considera John Pope
Hennessy en el libro citado: *The Portrait in the Renaissance*.
41. Sobre esta compleja espiritualización de lo pagano y las formas hí-
bridas que se crean entre los temas cristianos y profanos interesa especialmente
el libro citado de Wind: *Los misterios paganos del Renacimiento*, especialmente
el cap. I, «Teología poética», donde hace ver el error tópico de juzgar la cultura
del Renacimiento como profundamente secularizada.

sentada como su santa homónima, esto es, con la rueda y
la palma; y de fecha posterior otra de Girolamo Savoldo, representando a una dama como Santa Margarita. John Pope-
Hennessy recuerda ambos casos; pero plantea la duda de si
los atributos se añadieron a posteriori, cosa que parece indudable en el caso del Botticelli. No sería extraño que en la
época en que comenzó a extenderse el gusto por ese género
de retrato se le agregara el correspondiente atributo de
Santa Catalina. Es de interés anotar el autorretrato del Gior-
gione que recuerda el mismo crítico representándose como
David con la cabeza de Goliat. De él habla el Vasari, y el
grabado de Wenceslaus Hallar —que así lo muestra— junto
con el autorretrato de Brunswick, parece confirmarlo plenamente. No deja de recordar el mismo Pope-Hennessy el tipo
de retrato mitológico en el Tiziano, como se ve en la «Flora»
y se podrían añadir otras formas complejas como algunas
que ya hemos comentado[42].

También interesa anotar entre las obras comentadas por
dicho crítico la gran composición de tema histórico bíblico,
donde no se da solamente el hecho de incorporarse el retrato
a ella, sino presentar a los héroes o personajes históricos con
los rasgos concretos de personas que todos habían de reconocer. Así destaca una composición flamenca, quizá de
Félix Chretien, que representa a Moisés y a Aarón ante el
Faraón. El primero es el retrato de Jean de Dinteville y el
segundo el de su hermano el Obispo de Auxerre. El Faraón
se presenta con los rasgos de Francisco I; y aún aparece otro
hermano de Dinteville. La escena tenía una segunda intención, simbólica, político religiosa, paralela al tema bíblico,
en cuanto a las pretensiones del embajador en favor de su
hermano[43].

Podemos añadir por nuestra parte a lo dicho, dentro del
ambiente italiano, un retrato de Victoria de la Rovere en
figura de Santa Magdalena, obra de Giusto Susterman existente en el Palacio Ricardi de Florencia. Y en esta misma

---

42. *Ob. cit.*, pág. 14.
43. *Ob. cit.*, págs. 239 y sigs.

escuela también puede situarse a comienzos del siglo XVIII una «Santa Margarita», existente en el convento de la Encarnación de Madrid, que como decía el Marqués de Lozoya, es evidentemente retrato de la gran Duquesa de Toscana, María Magdalena de Austria, esposa de Cosme II[45].

El hecho, pues, del retrato a lo divino no es extraño fuera de España y precisamente se produce en los fines del Manierismo y en el Barroco. De ese momento de tránsito entre ambos estilos es una extraña «Anunciación» del español Pantoja de la Cruz —existente en el Museo de Viena— cuya complejidad de intención o comparación con lo humano cortesano resulta, como dice Würtenberger, «lindante casi con la blasfemia»[46]. La figura de María aparece con los rasgos de la Reina Margarita, y la del Arcángel está representada por su hija primogénita Ana. Al anuncio de la Encarnación de Cristo se superpone el anuncio del nacimiento del heredero al trono de España que reinaría con el nombre de Felipe IV. En otros casos, como el «Nacimiento de Cristo», colocó los retratos de damas en figuras de jóvenes pastoras; pero en este caso el retrato no sustituye los rostros de las figuras religiosas centrales.

Recordemos como un antecedente de estos equívocos retratos irreverentes el hecho de cómo se divulgó en el siglo XVI una imagen pintada de la cabeza de la Virgen en la que se acusaban rasgos concretos del rostro de la reina Isabel la Católica. Y fuera de España hay un caso de sustitución de las figuras evangélicas por el retrato contemporáneo que ha recordado también Würtenberger[47]. Lucas Cranach, el Joven, en la Santa Cena del altar de Dessan, colocó junto a Cristo, no a los apóstoles, sino a un grupo de partidarios de la Reforma protestante, como Lutero, Melanchton, Bugenhagen, Justus, Jonás, Casbar, Cruciger y otros. De finales del Barroco, podemos volver a recordar la pareja de retratos

---

44. *Id.*, págs. 243 y sigs.
45. Rev. *Goya.*
46. *Ob. cit.*, pág. 205.
47. *Id. íd.*

Zurbarán. *San Lucas ante Cristo.*
(Autorretrato del artista.) Museo del Prado.

que Mazo realizó de sus dos hijas representadas como santas mártires[48].

También podríamos poner en relación con estas formas de divinización de la figura humana femenina, cuadros como la alegoría de la Fe de Vermeer —quien, además, se autorretrató, pintando un modelo de joven ataviada como musa—. En realidad es el retrato de una dama sentada junto a una mesa —donde reúne los principales atributos que señala Ripa en su *Iconología*—, en el interior de una sala de la época, probablemente la propia casa del artista —como testimonia el cuadro de la Crucifixión de Jordaens, que sabemos era de su propiedad—. Aparte los citados atributos —cáliz, crucifijo, libro— en el suelo aparece la esfera del mundo —que pisa la dama—, la manzana y la serpiente aplastada por una piedra, símbolos del pecado; pero todo ello junto a sillas, tapices y tapetes y demás elementos del cotidiano vivir. En realidad es el retrato de una dama colocada en postura no muy noble, pero en actitud contemplativa, rodeada en su casa de los símbolos o atributos de la Fe.

En todos estos casos vemos existen de una parte unas motivaciones de índole ideológico conceptual que mueven al artista a servirlas por diversas razones, ya cortesanas, ya político religiosas; pero en otras responden, además, a un gusto o moda de un sector social o a un ambiente de época creado en un mutuo estímulo del arte y la sociedad. Son éstas las que corresponden al momento inicial y de pleno Barroco. El vario grupo de obras de este tipo de retratos femeninos que testimonia la poesía española —que en este mismo ensayo se destacan— en composiciones correspondientes a distintas fechas es lo que mejor habla del carácter de moda que ofreció, por lo menos en España, este hecho. En estos ejemplos fundamentábamos la interpretación de las figuras de santas de Zurbarán —ambiguas en su espíritu mundano y devocional— como muestras en cuanto a su origen, de retratos a lo divino. En el siglo XVIII, vemos en

---

48. Publicados por A. L. Mayer: «El arte Español en el Extranjero»: «Tres cuadros interesantes desconocidos», en *Arte Español*, año XIX, t. X, núm. 4.

Inglaterra coincidir también este retrato con el tipo mitológico. Así es de señalar el que Reynolds hace de Mrs. Sheridan, como Santa Cecilia, en 1775. Ambas formas las imponía la moda.

Creemos como conclusión que si en la creación y propagación del retrato alegórico y mitológico actuó esencialmente el artista intelectual típico del Manierismo, en el caso del retrato femenino a lo divino, aunque inicialmente contarán análogos determinantes, sin embargo su generalización responde a móviles sociales; de ahí que su complejidad intelectualista se pierda y se imponga un sentido de más simple teatralidad y a veces tono popular en la representación. Al mismo tiempo la irrupción de la visión directa de la realidad que se produce en el Barroco, borrando la concepción de lo ideal y arquetípico que buscaba el embellecimiento y corrección del modelo humano, producirá la exaltación del naturalismo en cuanto a los rasgos de retrato, contrastando más con su función representativa de la figura religiosa, y lo mismo de la mitología. Su significación de moda queda más patente.

EL RETRATO A LO DIVINO
Y EL AMBIENTE ARTISTICO Y ESPIRITUAL

Partimos de un concepto —«retrato a lo divino»— que ya hace muchos años lanzamos como el más apropiado para calificar un tipo de retrato femenino especialmente desarrollado en la época de la Contrarreforma y el Barroco. Destacábamos la existencia de este tipo de retrato basándonos, junto a algunos ejemplos concretos que podían señalarse en la pintura de la época, en los testimonios que nos ofrecía la poesía española del siglo XVII, los cuales demostraban cómo, especialmente en la Corte, gustaron retratarse las damas con atributos y aspecto de santas. Nuestro esencial propósito era intentar una interpretación de los rasgos externos y sentido expresivo de los cuadros de santas de Zurbarán.

La aplicación del término «a lo divino», lo hacíamos trasladándolo de lo literario; sobre todo en la poesía, la denominación se empleó de forma normal para toda composición originariamente de tema profano, después adaptada o transformada —*contrahacer* se decía— con sentido e intención espiritual. Ello se vio favorecido, y esencialmente determinado, por el florecer de nuestra literatura ascética y mística, en cuyas formas de exposición ya se había dado por espontánea e íntima necesidad la utilización de los recursos expresivos del amor humano y de todos los aspectos del vivir cotidiano. Por eso junto a nuestros grandes místicos se producen los más activos focos de poesía a lo divino[49]. Lo predominante fue adaptar las canciones amorosas —ya de tradición culta cancioneril, ya de lo popular— a la expresión del amor divino. Pero, además, dentro de la corriente más propiamente conceptista, todos los motivos de la vida cotidiana, en sus más distintos órdenes, sirvieron para hacer ingeniosas comparaciones que, jugando con el equívoco y la metáfora, se aplicaban con intención devocional a todos los aspectos imaginables de la vida religiosa; desde lo más realista de la consideración de la Pasión de Cristo, y Vida de Santos, o actos de la Vida eclesiástica, hasta las más elevadas cuestiones teológicas y misterios del sentimiento y experiencia mística[50]. Toda esa creación se verificó esencialmente en la poesía, teniendo como uno de sus focos principales la vida conventual —especialmente franciscanos, carmelitas y jerónimos— y eclesiástica; pero también brotó en el ambiente devoto secular, y su influjo alcanzó incluso las formas literarias de la tradición culta renacentista y naturalmente el

---

49.   Véase B. WARDROPPER, *Historia de la poesía lírica a lo divino en la Cristiandad occidental*, Madrid, 1958. DÁMASO ALONSO, *La poesía de San Juan de la Cruz (desde esta ladera)*, Madrid, 1942; 2.ª ed., 1946, y nuestro libro *Poesía y Mística. Introducción a la lírica de San Juan de la Cruz*, Madrid, 1959, especialmente el capítulo «Poesía tradicional carmelitana», págs. 115 y sigs.

50.   Este aspecto —esencial en los orígenes del conceptismo que culmina en Alonso de Ledesma— lo desarrollamos ampliamente en nuestro estudio «La Literatura religiosa y el Barroco» (En torno al estilo de nuestros escritores místicos y ascéticos). Incluido en el libro citado *Manierismo y Barroco* (2.ª ed. aumentada. Madrid, 1975).

teatro, donde se desarrollará paralelamente a la creación
de la comedia barroca, sobre todo en la comedia de santos
y el auto sacramental.

Todo ese proceso se fue produciendo, aunque con antecedentes en la Edad Media —sobre todo en sus finales—, en la
segunda mitad del siglo XVI; y en el comienzo del siguiente,
será un fenómeno general extremado y popular. Para la
mentalidad de las gentes esta asociación y enlace de lo humano cotidiano y de lo divino fue constituyendo una visión
tan normal en el ambiente en que se movían que todos los
extremos que en este sentido, el arte o la literatura les
ofrecía, eran contemplados y gustados como un fenómeno
natural. Las fiestas y conmemoraciones religiosas, con las
ricas y abundantes decoraciones pictóricas, inscripciones y
cartelas poéticas, en arcos, empalizadas, altares y catafalcos,
fueron elementos que contribuyeron a que las gentes —aun
sin saber leer— fueran asimilando un cúmulo de expresiones
alegóricas e imágenes, y asociando el mundo de la realidad
y el de la ficción y sobrenatural como formas claras y naturales en su apariencia y representación. Los jeroglíficos y
emblemas, en esas decoraciones y en los abundantes libros
de este género multiplicados entonces actuaron en la creación
de esa mentalidad que asociaba lo ideológico y espiritual con
lo real y cotidiano [51]. Y aún más contribuyó a ello el esplendor
del teatro —convertido en espectáculo para todos— con las
comedias de santos y los autos sacramentales; la presencia
y acción de los personajes representando figuras religiosas,
con sus atributos, pero con atuendos del mundo terreno,
ya con fantasía, ya de acuerdo con lo contemporáneo, incluido lo pastoril, hicieron le resultara a todos completamente
normal la visión de una santa o de un arcángel con rasgos
realistas hasta lo identificable. Si unimos a todo ello el clima
de devoción que se respiraba por todas partes, avivado por
la gran producción de nuestra literatura ascética y mística
—aunque el vicio y la miseria fuera grande, a veces bajo

---

51. Sobre estos aspectos interesa en especial el libro citado de JULIÁN
GÁLLEGO, *Visión y símbolos...*

el enmascaramiento de la práctica devota—, comprenderemos cuán lógico era que en aquella sociedad devota y teatralizada en sus formas de vida, se hiciera moda el retratarse
las damas como santas y el que las gentes lo vieran como
natural e incluso vieran también como natural la consecuencia
de que, cuando, intencionadamente, se pintaran santas, se
hiciera con un sentido realista individualizador de verdadero
retrato. Y lo mismo ocurrió con las series de pinturas de
ángeles y arcángeles, género también gustado por Zurbarán
y los sevillanos.

No hemos pretendido nunca afirmar que todas las pinturas de santas que nos ofrece Zurbarán sean otros tantos
retratos de damas representadas a lo divino. Naturalmente
que el artista haría —y con mucha más abundancia— cuadros
de pura intención religiosa, dentro de ese tipo y rasgos que
conocemos y que repitieron sus imitadores. Precisamente en
la intención de retratarse como santa estaba el propósito
de plantear la ambigüedad o equívoco; ése era precisamente
el especial encanto de este tipo de retrato, y de ahí que la
estética barroca —tan seducida en su expresión literaria y
lingüística por el equívoco— lo prodigara, dentro de la general valoración que del género hizo la época.

Es claro —y ya se ha apuntado— que hay bajo esa preferencia artística un poderoso determinante sociológico, que,
naturalmente, pesa sobre los pintores y es la causa principal
de que ese tipo de retrato se produzca y se prodigue precisamente en todo el Barroco. Si en general la demanda explica
y hasta fundamenta en su contenido mucho de la creación
artística —es claro que no todo, y que a veces el artista con-
tradice o piensa está contradiciendo a su época— aún más
ocurre esto en un género como éste, tan concreto y personalmente unido a quienes hacen el encargo al pintor. Es
un hecho reconocido cómo en España la falta de una gran
burguesía como clase predominante y pudiente hizo que los
talleres de nuestros pintores tuvieran como actividad central
el atender la demanda de iglesias, monasterios y conventos,
que eran abundantes y poderosos y que, además, atraían
hacia ellos a las hermandades y cofradías y a los nobles que

costeaban y dotaban con sus fundaciones capillas, retablos
y enterramientos. De aquí que se produzca no sólo la abundancia de nuestra pintura religiosa, sino también la importancia de la misma, sobre todo en los conjuntos de pintura
monástica y de retablos. Salvo Velázquez, que precisamente
buscó el cargo de palacio, no para ser cortesano, sino por
el contrario, para tener independencia como artista, todos
nuestros pintores dependieron esencialmente de esos encargos de los medios eclesiásticos y conventuales; ocupando
así, la pintura de retratos y de otros géneros, como la del
paisaje y bodegones, un lugar secundario. Es verdad que
hubo talleres u obradores donde se pintaban bodegones,
floreros y paisajes, pero fue sobre todo en Madrid y algunas
ciudades ricas como Sevilla y Valencia, donde, como era
lógico, la demanda exigía la producción, dada la vida de la
corte y la presencia de la nobleza y el principal núcleo de
burguesía; pero aun así los principales cultivadores del género como Van der Hamen y Loarte, tuvieron que dedicarse
también a la pintura religiosa. E indiscutiblemente, fueron,
un fraile, como Sánchez Cotán, y un pintor de frailes, como
Zurbarán, los que crearon las obras maestras de nuestra
pintura de bodegones; pero en éstos no hay sólo una honda
emoción espiritual por la humilde actitud con que uno y
otro contemplan el natural, sino que además hay en ellos
algo, que alcanza a otros —los mejores— bodegones españoles:
un ambiente de sencillez, de orden y sobre todo un sentido
de la luz que valora todo lo que ilumina comunicándole una
emoción trascendente religiosa, en forma tal que muy bien
Sterling pudo hablar de «luz metafísica»[52]. Diríamos, pues,
que la pintura religiosa se desborda sobre los demás géneros
propiamente seculares. Y los bodegones más ricos y suntuo-
sos de elementos son precisamente los de tema de desengaño;
los que responden como los mejores de Pereda y Valdés
Leal a la concepción de «Vanitas». Podríamos, pues, decir

---

52. CHARLES STERLING, *La Nature morte. De l'Antiquité à nos jours*, París,
1952, pág. 62.

que, en cierto modo, también en España hay no sólo bodegones moralizadores sino también a lo divino.

SOBRE LOS DETERMINANTES SOCIALES
EN LA IMPORTANCIA DEL RETRATO
Y DE SUS FORMAS EXOTICAS

Una circunstancia de orden social que, como ya hemos
dicho, creemos influyó en el desarrollo del género del retrato
mitológico, así como el contrapuesto a él del retrato a lo
divino, fue el creciente desarrollo y enriquecimiento del teatro
y de la fiesta teatral de la Corte[53]. No olvidemos que la creación y temprano esplendor del teatro que se produce en las
cortes y en las grandes ciudades europeas fue un fenómeno
cuyas esenciales raíces no están en la tradición de una literatura dramática, sino, sobre todo, en unos determinantes y
condicionamientos sociales que, sobre todo en España, actúan
en su ideología y temática como en su técnica y formas de
expresión. El teatro barroco —entre nosotros la nueva comedia— supone el verdadero comienzo del teatro como espectáculo; esto es para divertir y conmover a una colectividad
social cuyos elementos, aunque varían de unas sociedades a
otras, supone siempre una complejidad a la que hay que
atender en su diversidad. El teatro se erige, así, según se ha
dicho, como el protoarte del Barroco; se dirige a la vista y
al oído y con su potencia sensorial comunicativa atrae lo
mismo al pobre que al poderoso, al culto y al ignorante.
Es el auténtico arte de masas que por su vía de penetración
sensorial puede recoger también a la mayoría analfabeta, lo
mismo que las artes visuales o, mejor dicho, más, porque lo
visual es esencial en él. Se explica, así, se produzca el desbordamiento del teatro, entendiendo el hecho en todos los sentidos. La teatralidad invade todas las formas de la vida e incluso de la propia conducta personal. No es extraño, puesto

53. Estos aspectos los desarrollamos en nuestro libro citado *El Teatro y
la Teatralidad...*

que la representación teatral alcanzó a todas partes; comenzando, claro es, por los corrales de comedias o teatros públicos
y por los de la corte, pero alcanzando la sala del particular y el
rincón del claustro. La teatralidad se extremó, así, no sólo
en los actos públicos de orden civil, sino lo mismo o más en
los de carácter religioso. Y en consecuencia se impuso sobre
las formas artísticas.

En nuestro libro sobre *El Teatro y la Teatralidad del Barroco*,
destacábamos, según hemos comentado, este hecho de la
teatralización de la vida y el arte y —aunque parezca una
redundancia— de la teatralización del teatro; esto es, de la
introducción de la pieza teatral dentro del teatro y el desarrollo
de todos los recursos de enmascaramiento y ficción dentro
de la escena. Si por una parte todo ello llevó a una vida de
apariencia y ficción, por otra venía a afirmar la vieja y profunda concepción cristiana —desarrollada entonces como
nunca— de la vida como teatro, lo que vino a alcanzar su
realización suma en el arte en «El Gran Teatro del Mundo»,
de Calderón.

Podríamos decir que viviendo dentro de este ambiente se
sensibilizaría la gente en forma que actuaría en la vida con
la conciencia de que representaba un papel, o imitando
la representación de un personaje en la escena. Esto se extrema en el sector social más elevado, más atento en su ac-
tuación a un formalismo, y sobre todo en la aristocracia
cortesana. De hecho, pensemos que no sólo en la corte in-
glesa y —más aún— en la de Versalles, sino en la de Madrid,
interviniesen los personajes de palacio, desde el Rey hasta el
bufón, pero sobre todo las damas, representando papeles en
comedias y ballet, como figuras mitológicas y del mundo
caballeresco y legendario. Había, pues, una situación real
en que la dama era admirada con los ricos atuendos y alegóricos atributos, y no sólo en el momento de la danza y la representación, sino en los inmediatos y consecuentes de convivencia en los salones y jardines. Pensemos que a veces estas fiestas de Corte estaban unidas a comidas y convites y que por lo
tanto se alternaba y convivía bajo el enmascaramiento teatral
de figuras del pasado histórico, legendario y mitológico.

Que en unas circunstancias y formas de vida como esas que se impusieron en las cortes europeas se desarrollara la moda del retrato mitológico y bucólico nada tiene de extraño. En su origen podemos ver —como se·deduce de los estudios de Panofsky y Würtenberger— unas motivaciones estético ideológicas impulsadas por el intelectualismo del artista manierista; pero el hecho de que se haga moda depende de un influjo y valoración establecido, por las clases superiores aristocráticas, razón siempre de la moda, según señala Simmel[54]. No olvidemos que el gusto por retratarse se desarrolló precisamente como moda, sobre todo desde la época del Manierismo y, en consecuencia, partiendo de las clases superiores aristocráticas y burguesas y descendiendo, según lo natural de las modas, a las clases inferiores. Se creó una actitud psicológica que se recreaba en la contemplación de sí mismo viéndose personaje del cuadro. A la misma razón se debe la importancia del autorretrato en el Barroco, y de la biografía y autobiografía en Literatura.

Esa generalización del hecho de retratarse determinó la protesta de los artistas teorizantes que. aunque consideraban el retrato como un género de orden inferior, lo admitían sólo para representar reyes, papas y grandes personalidades de las armas, de la Iglesia y del saber y las letras.

Según el clasicismo manierista el gran pintor había de pintar conforme a la idea interior, perfeccionando el natural[55]. Por la misma razón cuando renazca una estética neoclásica volverá a producirse una postura análoga. Así —como recordaba Friedlander— Lessing «desterraba el retrato del dominio del arte. Encontraba el retrato incompatible con sus principios estéticos»[56]. Venía como a recordar a Miguel Angel, que no aceptaba el género como tal —y tampoco el paisaje—, ya que sólo concebía digno del arte la representación de la belleza ideal de lo humano. El retrato, pues, se concebía

---

54. JORGE SIMMEL. «Filosofía de la moda», en *Revista de Occidente*, año I, número 1, julio 1923, págs. 50 y sigs.

55. Véase ANTHONY BLUNT, *Artistic Theory in Italy 1450-1600*, 2.ª ed., Oxford, 1959, pág. 141.

56. *Ob. cit.*, pág. 230.

en una exaltación de la belleza «supliendo los defectos de la naturaleza con el Arte», según decía Lomazzo, y manteniendo el *decoro* del alto personaje, único digno del retrato, «representando —según advierte el mismo— no el acto que por ventura hacía aquel Papa o aquel Emperador, sino aquello que debía hacer, respecto a la majestad y decoro de su estado» [57]. Esta concepción lleva no sólo a la idealización de los rasgos, sino también a la imposición de actitudes y composiciones convencionales rígidas y con elementos extraños, aunque el afán analítico y psicologizante se detenga en la exactitud descriptiva.

Pero el afán de retratarse se fue extendiendo a las clases inferiores, a las gentes de oficios y actividades humildes, provocando la reacción de artistas y hombres de letras. Como recordaba Würtenberger, el Aretino, hacia mediados del siglo, protestará de que incluso los sastres y carpinteros encargasen su retrato del natural [58]. Mayor aún fue la protesta en el tardío Manierismo; así se dio en el gran tratadista Lomazzo en 1584. Y más tarde veremos en España a Carducho —que en pleno siglo XVII sigue menospreciando el género del retrato, como impropio de los grandes pintores— que reprueba categóricamente esa extendida moda de retratarse toda clase de gente: «ya con demasiada licencia se usa —dice— que no sólo se retratan las personas ordinarísimas, mas con modo, hábito e insignias impropísimas» [59]. No tiene, pues, nada de extraño que, como lógico movimiento de la moda, se produzca entre las clases selectas directoras, la búsqueda de formas distinguidas y exóticas del retrato, lo que por otra parte se las estaba ofreciendo las ficciones del mundo teatral. E incluso se puede pensar que cuando Carducho habla de «hábitos e insignias impropísimas» se está refiriendo a atributos y elementos propios de los retratos mitológicos y a lo divino y no sólo de atuendos y adornos, y concretamente insignias,

---

57. *Trattato dell'Arte della Pittura, Scoltura et Archetettura*, de GIO PAOLO LOMAZZO, Milán, 1585, págs. 30 y sigs.

58. *Ob. cit.*, pág. 212.

59. *Diálogos de la Pintura* (Ed. Cruzada Villaamil), Madrid, 1865, pág. 127.

correspondientes a esas clases superiores a las que las gentes querían imitar al retratarse. Hay, pues, creemos una motivación psicológico social en la propagación del retrato mitológico y pastoril y, asimismo —en ambientes como el español—, del retrato a lo divino.

Por estas razones en nuestro citado libro volvimos a considerar este tema del retrato mitológico y a lo divino y destacábamos como ejemplos expresivos de aquél los dos lienzos franceses de comienzos del siglo XVII existentes en el Museo del Prado —catalogados como alegorías de la Primavera y del Verano— [60] y que creo pueden considerarse como típicos retratos alegóricos o mitológicos, pues también pudiera ser una Flora y una Ceres, pero en este caso con la obligada compostura que evita la desnudez y que deja más claramente al descubierto se trata de dos retratos compañeros. Pensando en esas fiestas cortesanas el hecho nada tiene de extraño. Están respondiendo a una realidad de un mundo cortesano teatralizado. Y observemos, por otra parte, que, formalmente, en sus rasgos externos, actitud y movimiento —como de lento pasar o desfilar— están en perfecto paralelo con la mayor parte de los retratos de santas de Zurbarán. La «Flora» francesa interpretada con otro espíritu, y con un fondo de sombra y *luz metafísica* española, podría considerarse una Santa Casilda. A nuestro juicio, la razón de este paralelismo responde a que la concepción de ambos tipos de cuadros obedecen a una moda que supone la visión teatralizada del retrato, sea mitológica, sea a lo divino [61].

SOBRE EL RETRATO MORALIZADOR EN EL BARROCO

Como complemento o grave paralelo de ese tipo de retrato de dama a lo divino en el que lo alegórico mundano y lo devoto se unen con aire seductor, creemos puede colocarse

60.   F. J. Sánchez Cantón, *Catálogo de los cuadros*, Madrid, 1945, núms. 2885 y 2886.
61.   Reproducimos juntos ambos lienzos en nuestro libro ya citado *El Teatro y la Teatralidad*...

otro tipo de retrato, preferentemente masculino, que podríamos llamar alegórico moralizador o moralizado; ello supone el retratarse para servir de ejemplo o aviso a los demás sobre lo transitorio de la vida humana, aunque además puede expresar el propio pensamiento o sentir del retratado, cual si nos hablara desde el lienzo. Así la cartela, el papel o la inscripción puede también incorporarse como elemento moralizador de significación directa. Ello se inició en el manierismo y se ve en casos españoles, expresivos de la exaltación religiosa de esta época de los grandes místicos que se extremará en el arte contrarreformista. El enlace con el sentido emblemático queda también claro, pues es la época en que se inicia el período de esplendor del género síntesis de lo visual y lo literario que culminará en el Barroco. Como ejemplo podemos recordar el retrato de autor anónimo de media figura de caballero —en el Museo del Prado— que empuña los guantes en su mano izquierda, y con la derecha nos muestra una tarjeta con las palabras: «MI TENER Y MI HABER ES A VN SOLO DIOS QVERER». Con sentido expresivo desbordante prebarroco el caballero nos mira gravemente como si observara nuestra reacción ante el lema o divisa que nos muestra.

Mayor complejidad y convencionalismo expresivo podemos encontrar en otros casos como los de retratos de religiosas, de los que destaca el de Teresita de Ahumada, la sobrina de Santa Teresa, existente en el Convento de Sevilla. La niña, de diez años, aparece vestida de monja, teniendo en una mano el corazón y en la otra una imagencita del Niño Jesús. El diálogo entre ambas figuras aparece en latín en unas filacterias; la niña le ofrece su corazón y Cristo lo acepta como de su esposa[62].

Si en los retratos de damas representadas como santas, los atributos, y a veces la actitud y gesto, les daba el equívoco carácter de santidad, en estos retratos, también la presencia de algún elemento de sentido religioso y sobre todo de significación simbólica alusiva a lo temporal, viene a dar a la

62.   Tanto este retrato como el anterior figuraron en la exposición «Santa Teresa y su tiempo». Y se reproducen en su catálogo. Madrid, 1970.

figura, junto con el gesto, el grave sentido cristiano moralizador de la transitoriedad de lo humano. Hay una serie de
objetos que adquieren un valor de símbolo o signo de religiosidad o sentido trascendente, aunque pueda parecer alguno
de ellos a nuestros ojos de hoy, un simple elemento compositivo o de adorno, una vez perdido el carácter expresivo o
incluso de signo concreto tópico, que tuvo en su época. Así
el Crucifijo, la calavera, el libro, el reloj de arena y los relojes
mecánicos, el candelabro o la candela apagada, el instrumento musical, como también el ramo de flores, la fruta y la
flor caída, se introducían en el retrato subrayando la melancólica alusión, o la grave referencia, a lo vano y fugaz de la
vida. Son estos, a la vez, elementos del bodegón barroco que
con otros, y en estrecha relación con la literatura de jeroglíficos y emblemas, constituye todo un sistema de signos,
llegando a actuar como una verdadera comunicación de
masas, un auténtico lenguaje plástico o visual inteligible
aun para los que no sabían leer. Aunque algunos de estos
objetos traigan su significado de la tradición medieval, nunca
como en este caso podemos hablar ante el arte de los tiempos
modernos de una semiótica de la pintura. Bien expresivo de lo
que decimos es que el artista español que en la corte creó
las más importantes composiciones de visiones alegóricas del
«Desengaño de la vida», donde se acumulan objetos cargados
de significación hasta constituir el más complejo sistema se-
miológico, fue precisamente un pintor como Pereda que no
sabía leer ni escribir, aunque tuviese muchos libros en su
taller. Así nos lo cuenta Palomino como algo extraño. El
pintor tenía «no sólo estampas, papeles y borroncillos, ori-
ginales, modelos y estatuas excelentes, sino una librería
admirable; y especialmente de la Pintura, en varios idiomas...
y con todo esto no sabía leer ni escribir (cosa indigna y más
en hombre de esta clase); de suerte, que para firmar un cuadro,
le escribían la firma en un papel y él la copiaba; y gustaba de
que los discípulos y algunos amigos le leyesen historias; y
especialmente las que había de pintar»[63]. Recordamos este

63. ANTONIO PALOMINO DE CASTRO Y VELAS, *El Museo Pictórico y Escala*

caso para mejor valorar hasta dónde llegaba esa cultura oral y visual entre las personas que no sabían leer. Las grandes fuentes que formaban a las gentes en esta época del Barroco —explicando se llegase a una cultura de masas que suponía la inteligencia de lo abstracto y complejo ideológico— fue el teatro y las artes visuales, sobre todo la pintura, que también con motivo de fiestas de todo orden tenía campo para representar toda clase de alegorías, símbolos e historias. La inteligencia de toda esa semiología de los bodegones y retratos moralizadores o a lo divino, e incluso mitológico, no suponía un esfuerzo intelectual; al contrario conmovía sensorialmente, entraba por los ojos. El recrearse en sus valores propiamente pictóricos de vigor plástico, color o efecto de luz no era incompatible con su significación dentro del sistema de signos, sino al contrario el refuerzo del mismo.

Pensemos que las flores en vasos o jarrones no constituían todavía un elemento normal de adorno del interior —aunque la pintura prodigase los cuadros de floreros, sobre todo de procedencia o influencia flamenca—. Por lo tanto su aparición como elemento compositivo respondía, sobre todo, a otra intención y significaciones. Recordemos la frecuencia del tema de las flores en la poesía barroca, sobre todo como alusión melancólica, ante su belleza fugaz, a la transitoriedad de la vida; especialmente la rosa servirá de motivo ya de suave referencia a lo humano, como aparece en Rioja, ya de más directa y violenta consideración para contraponer el inmediato paso de la alegría del nacer a la tristeza del morir, según cantan entre otros muchos Góngora y Calderón. Y lo mismo hemos de pensar ante la insistente presencia del reloj como tema de la poesía en todas sus clases —de sol, de arena, mecánicos— según lo cantan el mismo Góngora y Quevedo. Se explica así el que sea elemento frecuentísimo en los bodegones barrocos con ese valor moralizador de hacernos tener conciencia de la incontenible fuerza del tiempo. Sobre esa significación simbólica de los elementos del bodegón,

---

Optica, tomo tercero. «El Parnaso Español pintoresco laureado»... (Ed. Aguilar), Madrid, 1947, pág. 959.

la crítica extranjera ha hecho importantes observaciones,
especialmente Bergström, y entre nosotros contamos con un
excelente libro ya citado —no debidamente recordado— de
Julián Gállego[64].

Para citar casos de nuestro más grande pintor, tan sobrio
pero tan certero y expresivo en el empleo de todos los elementos complementarios de enlace con la figura y de ambientación, hemos de pensar que cuando Velázquez nos ofrece
un reloj sobre una mesa tras la Reina doña Mariana, o
cuando coloca un vaso de rosas, con una caída sobre el
tapete, en el retrato de la Infanta doña Margarita niña, o
cuando a la misma le hace coger una flores la última vez que
la retrata en el lienzo del Museo del Prado, no está procediendo
sólo con un sentido compositivo para lograr efectos de armonía
o contraste pictórico, sino que está, sobre todo, buscando
una intención expresiva de sentido temporal.

El mismo Velázquez nos demuestra cómo pueden utilizarse
los elementos de significado moral unidos a la figura humana
hasta darnos una visión del retrato totalmente identificada
con el cuadro religioso; revelándonos con ello ese clima de
divinización de la realidad que estaba en la mente y sensibilidad de las gentes —que alcanza incluso a un artista como él,
cuyo temperamento no vibraba ante el tema místico y sobrenatural— que favoreció la creación del retrato a lo divino,
y, a su vez, actuó en el que se creaba —según el afán de
retratarse de la época— sólo para perpetuar el recuerdo de
una persona. Así, ante el retrato de sor Jerónima de la Fuente,
representada con vigoroso realismo, empuñando en una mano
el Crucifijo y portando en la otra un libro —y hasta con una
filacteria con una jaculatoria en latín— de no constar en una
inscripción, nadie podría decidir si el pintor había hecho el
retrato de una religiosa o había querido representar a una
santa franciscana.

64.   Véase la bibliografía que sobre este aspecto da INGVAR BERGSTRÖM,
en *La Natura in posa*. Bergamo, 1971. Se sale de las proporciones de este ensayo
al señalar bibliografía sobre el tema de las flores en poesía y pintura e igualmente todo lo referente al tema del reloj.

Valdés Leal. *Don Juan de Mañara.* (Retrato moralizador.)
Hermandad del Hospital de la Caridad. Sevilla.

Anónimo francés.
Ceres.
(Retrato mitológico.)
Museo del Prado.

Anónimo francés.
Flora.
(Retrato mitológico.)
Museo del Prado.

Fuera de estos casos de retratos de religiosos o religiosas en que la asociación a la imagen de un santo o santa de su Orden se reforzaba al incorporarle unos símbolos, hay otros, dentro del Barroco, en que el retrato se realizó para mostrar la imagen de una persona representada en tal forma que pudiera actuar sobre el contemplador comunicándole una inquietud o lección moral. El retrato respondía en estos casos en su concepción formal y expresiva a un sentido de acción desbordante, de proyección hacia fuera forzando al espectador a implicarse o complicarse en el hecho o sentimiento que con el gesto o elementos significantes se quería comunicar[65].

Nos referimos en concreto al retrato de don Miguel de Mañara que centra la sala de juntas de la Hermandad del Hospital de la Caridad de Sevilla. El famoso arrepentido se nos ofrece sentado ante una mesa presidida por un Crucifijo, en la que se apoya un libro en el que lee y del que aparta la vista para mirarnos alzando la mano con gesto aleccionador. En primer término un niño sentado nos mira, al mismo tiempo que se lleva el dedo a los labios imponiéndonos silencio para que escuchemos las graves palabras que el caballero está pronunciando. El libro que nos lee es su famoso «Discurso de la Verdad», uno de los textos ascéticos barrocos de más desoladora lección de desengaño del mundo. La función que este retrato desempeñaba para los que allí se reunían —y los que hayan seguido reuniéndose— era la de mantener la imagen del gran arrepentido haciéndose escuchar con gesto persuasivo para que no olvidemos nunca las terribles verdades de su «Discurso de la Verdad».

En esa tendencia moralizadora alentada por el agudo sentimiento de la fugacidad del tiempo —tema central del Barroco— hay formas complejas del retrato recurriendo al artificio tan característico de esta estética de introducir el cuadro dentro del cuadro, en forma paralela a como la ficción literaria se

---

65.   Véanse nuestros ensayos «Sobre el punto de vista en el Barroco», en *Temas del Barroco*, Granada, 1947; «El Barroquismo de Velázquez», Madrid, 1965; «La Literatura religiosa y el Barroco», en *Manierismo y Barroco y El Teatro y la Teatralidad*...

incrusta dentro de otra, especialmente el teatro dentro del teatro. Nos referimos como ejemplo expresivo de ese sentimiento de la fugacidad del tiempo a un autorretrato del pintor David Bailly (1651), cuyo sentido dramático moralizador lo convierte en un auténtico «Vanitas» [66]. El pintor se ha autorretratado en edad juvenil; pero, junto a él, ha colocado otro autorretrato, en el que aparece con los rasgos correspondientes a como habría de estar en la vejez. A través del retrato ha querido dar la lección de la vanidad de lo humano, precisamente en el vanidoso gesto de aurorretratarse ofreciendo junto a la imagen del presente, de su ser en la plenitud, su propia imagen en el futuro, de un momento ya próximo a la muerte.

Por esa vía de la consideración ascética con el triste anuncio del final de la vida se llegó en esta época del Barroco a una forma extrema de retrato moralizador cristiano que se crea por voluntad del retratado, pensando no sólo en aleccionar a los demás con el pensamiento de la muerte, sino, sobre todo, para recordársela a sí mismo continuamente. Nos referimos al hecho de hacerse retratar yacente como si estuviera ya difunto. Esto hizo el gran poeta metafísico inglés Donne, según nos cuenta su primer biógrafo, Izaak Walton —*Life of Donne*, 1640—. Se hizo retratar envuelto por la mortaja en un ataúd dejando asomar el rostro con los ojos cerrados y vuelto hacia el Oriente como en espera de la segunda venida del Salvador. El retrato lo colocó sobre su cabecera para continuamente tenerlo presente. De él se sacó por Nicholas Stone su efigie yacente para el enterramiento; también el grabado perpetuó la macabra efigie según vemos en la edición de 1672, de «Death's Duel» [67]. En España el «Cura santo» de Granada —el Venerable Francisco Velasco (1577-1622)— también se hizo retratar en un lienzo, en la habitación donde vivía como párroco de la iglesia de San Matías. Ante ese propio retrato, viéndose como difuntos, consideraban y meditaban sobre la muerte, no como algo

---

66. Publicado en *The Burlington Magazine*, junio 1967.

67. Véase James Winny, *A Preface to Donne*, Londres, 1970, págs. 42 y sigs.

ajeno o indeterminado, sino la suya propia que el lienzo
les ofrecía. Ello —aun dentro de su macabra gravedad—
suponía un sentido de teatralización, aunque fuese sintiéndose personaje en el momento decisivo del drama de la vida.
Responde al mismo sentimiento de desengaño y teatralidad
que llevó a Calderón a disponer en su testamento le llevaran a
enterrar descubierto, para dar la lección, como hombre famoso, sobre el final de todas las glorias mundanas. Ello
se corresponde con dramatizar la idea de que «La Vida es
sueño» y con ofrecer en un auto sacramental «El Gran Teatro
del Mundo».

Aunque no con referencia al tema del retrato, sino para
ofrecer ejemplos de tumbas barrocas en las que se destaca
la figura del esqueleto, reproduce Mâle un pequeño y conocido enterramiento de Santa María del Pópolo, en Roma, que
creemos oportuno recordar aquí, como muestra exaltada
de retrato moralizador y que estimamos relacionable con
el sentido de los casos citados. Porque no se trata de la normal
presencia de la muerte materializada, según la más vieja
tradición, en la figura del esqueleto, como en tantas representaciones de la Edad Media según se ofrece en múltiples
tumbas barrocas, como vemos en los ejemplos —que podrían ampliarse— que cita Mâle. En este caso lo que se nos
quiere sugerir para impresionarnos más, es que se trata del
esqueleto del propio difunto que se ofrece, aun envuelto en la
mortaja, viviendo, paradójicamente, muerto preso en su tumba. La obra, aunque formalmente, en sus elementos sin nada
de aparatosidad barroca, sino simple y sobria de forma y
ornato, es sin duda impresionante. Creemos —y hablamos
por la propia experiencia— que está concebida con calculada
intención para atraer y sorprender al visitante; pues se
refuerza su efecto por el hecho de estar colocada a los pies
de la iglesia, y en bajo, y así inevitablemente el visitante la
descubre en la penumbra al entrar o salir del templo. En la
parte superior, en óculo ovalado, está el retrato del difunto,
el arquitecto polaco Joannes Baptista Gislenus: pero pintado
con efecto de «trompe'oeil», proyectando la sombra de la
cabeza en el interior del fingido hueco —recordando lo hecho

en escultura por Bernini— y cuyo realismo se refuerza por el gesto de mirar al espectador. La inscripción sepulcral se desarrolla en amplia lápida en el centro; y bajo ella, en un hueco rectangular, que cierra una aérea reja, aparece el bulto, esculpido en mármol, de un esqueleto —con las manos cruzadas y cubierto con el sudario— cual si buscara sorprendernos y conmovernos mirándonos con tan horroroso aspecto. Instintivamente experimentamos la sensación de que estamos viendo el cadáver descarnado del difunto que surge de las sombras de la tumba. Mâle señala cómo junto al retrato se lee «Nec hic vivus», y cerca del esqueleto, «Neque illic mortuus». «Así —subraya— es el vivo el que estaba muerto, y es ahora el muerto el que está vivo»[68]. La violenta contraposición asociada de las dos imágenes —como en otras obras barrocas— completa aún más su aleccionador efecto desbordante plástico comunicativo con el poder de las palabras.

Ya en otra ocasión recordábamos algunos retratos masculinos de sentido moralizador en los que el personaje se representa con alguno de los dichos elementos con que se insinúa el sentimiento de la fugacidad de la vida[69]. Así tras referirnos a alguno de los citados recordábamos un retrato de influjo velazqueño —que publicó Lafuente— que representa a un caballero que nos mira interrogante mientras pone su mano sobre una calavera colocada al pie de un Crucifijo. Sin tan agudo sentido aleccionador y ascético, pero con serena gravedad, pintó Murillo al canónigo Justino de Neve, sentado ante una mesa en la que también destaca un Crucifijo y un reloj. De más inquietante emoción trascendente es el retrato de caballero —posiblemente el historiador Solís— obra de Alonso Cano que se nos ofrece con gesto absorto y meditativo en su intensa mirada, mientras aprieta en su mano un reloj de arena. Es, diríamos, expresar con la

---

68. EMILE MÂLE, *L'Art religieux de la fin du XVI siècle, du XVII siècle et du XVIII siècle. Etude sur l'Iconographie après le Concile de Trente*, París, 1951, pág. 221.

69. *Lección permanente...*, en ed. cit., págs. 52 y sigs.

concreta y real imagen de lo humano y un objeto símbolo, la equivalente significación de los famosos versos de Quevedo: «¡Cómo de entre mis manos te resbalas! ¡Oh, cómo te deslizas, edad mía!»

De más hiriente significación ascética es el retrato murillesco adquirido en los pasados años por el Museo del Prado que representa a un caballero que asoma tras una especie de óculo teniendo en su mano una calavera. También señalábamos en otra ocasión el «Geógrafo» de Ribera, que mide con un compás la esfera armilar mientras eleva absorto sus ojos a la altura. Y también hemos señalado hace años más de una vez la significación ascética espiritual —como actitud vigilante de caballero cristiano— del «Caballero de la mano al pecho» del Greco: «no es más —decíamos— que la encarnación del caballero castellano que aspira a la perfección, en el grave gesto vigilante que recordaba San Ignacio en sus Ejercicios, para más presto quitar algún pecado o defecto particular: «ponga la mano en el pecho —aconseja el santo— doliéndose de haber caído; lo que se puede hacer aún delante muchos, sin que sientan lo que hace». No es extraño —agregábamos— que en análoga actitud retratara al beato Avila que tan próximo, o tan dentro, estuvo de la espiritualidad ignaciana».

El retrato que el madrileño Jusepe Leonardo hace de Carlos V en Yuste para un tapiz —que se tejió en Brujas hacia 1640— es, según éste nos ofrece, una completa visión barroca del retrato alegórico moralizador, donde se acumulan esos objetos símbolo del desengaño de la vida humana. Está sentado junto a una mesa de rico tapete y delante de un suntuoso dosel; pero con gesto absorto de hondo meditar sólo atiende a lo interior y al Crucifijo con dos candelabros colocados sobre aquélla y a cuyos pies está el cetro, la corona imperial y una rama de laurel dejada sobre el libro de meditación. Caídos o apoyados en el suelo se ven banderas y trofeos de victorias guerreras. Su mano izquierda abraza una calavera puesta al borde de la mesa y en la otra tiene una corona de laurel, como si acabara de quitársela a aquélla. En la pared cuelga un reloj de pesas y sobre el tapete está

Murillo. *Don Nicolás Omazarino*. (Retrato moralizador.) Museo del Prado.

abierto otro de bolsillo. El pintor, al historiar en esta serie
de tapices un hecho de la vida del Emperador, quiso retratarlo
en su retiro del mundo, pero ejemplarizando con su fiel retrato que lo presenta de perfil ajeno al espectador, lo mismo
que a todos los símbolos de grandeza y poder que tiene a
sus pies; pero dejando que nos mire por él la calavera que
coge —o casi acaricia— con su mano.

Si en algunos casos anotados el retrato se hace moralizador
por el especial significado que le dan esos elementos significativos que hablaban con la claridad de graves palabras
al espectador, hay otras composiciones con retratos o figuras
que quedan totalmente envueltas entre esos objetos como
parte viva de un bodegón de sentido de Vanitas. El antiguo
bodegón con figuras de complejo concepto pluritemático
del Manierismo —convencional pero con rasgos realistas—
adquiere ahora —mediado el siglo XVII— un nuevo sentido
moral religioso, uniendo la más concreta representación de
la realidad material, no ya con la figura que asume papel
de símbolo —como el caballero dormido que sueña la visión
que vemos en el conocido lienzo de Pereda—, sino con la
sobrenatural del Angel como enlace o comunicación de
este mundo y el más allá. Así, en el famoso «Jeroglífico de
la Vanidad» del citado pintor, en el Museo de Viena, vemos
un Angel de seductores y realistas rasgos femeninos que nos
mira y nos muestra —como viva lección de la transitoriedad
de todas las glorias terrenas— en una mano el retrato del
Emperador Carlos V, y con la otra el globo del mundo, recordando lo que fueron sus dominios. Los objetos que le
rodean refuerzan, con su clara y categórica significación,
lo que nos está diciendo el ángel: las calaveras, el rico reloj
de mesa, el de arena, el candelabro con la vela apagada, los
trozos de armadura y los naipes. Los rasgos del Angel hacen
pensar, como señala Julián Gállego, en un posible retrato
a lo divino [70]. Se uniría, así, aquí, esta forma y la alegórica
en su más plena versión cristiana moralizadora.

Utilizando también otra figura de ángel como enlace con lo

---

70. *Ob. cit.*, pág. 246.

Tiziano. *Venus y la música.* (Supuesto autorretrato de
la duquesa de Eboli y Felipe II.) Museo del Prado.

Tiziano. *Entierro de Cristo.* (Con autorretrato.) Museo del Prado.

sobrenatural, pero con la presencia del auténtico retrato, se nos ofrece el lienzo de Valdés Leal, «Jeroglífico del arrepentimiento», o como con acierto se suele llamar la «Conversión de Mañara». No parece haya duda que el hombre que en él aparece con la cabeza apoyada sobre la mano —verdadero pensador cristiano del Barroco— embebido en la lectura de un libro de meditación, es el gran arrepentido sevillano. Tras de él, un Angel —como la visión fruto de su meditación— le descubre, en concreta realidad simbólica, la contraposición de lo temporal y lo eterno; es como aprovechar la coyuntura —como adoctrinaba Nieremberg— para convertir el tiempo que se escapa en eternidad. Con su mano izquierda le presenta un reloj de arena, mientras alza la derecha señalando una rica corona que refulge en un luminoso rompiente de cielo. Una inscripción sobre ella refuerza el sentido aleccionador de la meditación y del cuadro: «Quia repromisit Deus». Como dice Julián Gállego —tras otros comentadores del cuadro— lo que se lee es la Epístola de Santiago (I, 12): «Feliz aquel que soporta la prueba, pues una vez probado su valor recibirá la Corona de vida que Dios prometió a los que le aman» [71]. Sobre la mesa se apilan otros libros ascéticos y de entre ellos se levanta una rama de azucenas, como si uniera el símbolo de la castidad, del alma consagrada al puro amor de Dios, y el sentido temporal del rápido marchitarse de la vida humana. Pero, además, todo el fondo lo ocupa, en detallada visión, un cuadro representando el momento de la tragedia del Calvario con María al pie de la Cruz. Los misterios de la Redención y de la Pasión y muerte de Cristo, son objeto central de la meditación del cristiano; pero en este caso sin olvidar la devoción a María, la corredentora. Así, como elemento expresivo de ello, en esa mano en que se apoya el caballero tiene prendido un rosario. El cristiano ha de tener siempre ante sí a Cristo crucificado, pero sin olvidar la intervención de María. El cuadro, en sus elementos, es la más completa lección moralizadora, pero ésta nos repercute más honda y directamente por la real presencia de este caballero

71. *Id., íd.*, pág. 248.

que nos está dando la lección a quienes contemplamos el lienzo; pero lección que une el ejemplo vivo y próximo del caballero, ya apartado del mundo y absorto en su meditación que a través de Cristo y con la intercesión de María le lleva a conseguir la corona del cielo.

Y quisiéramos recordar por último en esta rápida anotación de formas moralizadoras del retrato subrayando la expresividad del sentimiento de desengaño una composición repetida en la pintura del siglo XVII que representa a una dama con gesto melancólico en el momento de desprenderse de todas sus joyas, como dispuesta a abandonar el mundo, en un acto de conversión y entregarse a la vida contemplativa. Hay que distinguir un primer tipo de composición más simple que arranca de fines del siglo XVI, pero que persiste a través del siglo siguiente. En este caso la joven dama en primer término, con el cabello suelto y despojada de alhajas, se ofrece con gesto meditativo; y tras ella otra figura de dama cubierta de blanca toca, con actitud de orar, se presenta como la llamada a la vida contemplativa, y hasta hace pensar si es la misma persona, después de renunciar al mundo y sus vanidades. Conocemos varios ejemplos de fecha temprana —fines del siglo XVI o comienzos del XVII—; pero como composición persiste en el supuesto retrato de la comedianta la «Calderona» —la bella amante de Felipe IV— que se conserva en el monasterio de las Descalzas Reales, que está demostrando ese sentido espiritual de abandonar el mundo y la entrada en el claustro[72]. También hay otro tipo posterior en que la figura aislada está rodeada de elementos significativos de todos los goces de los sentidos. A veces se ha interpretado esta composición y también la anterior como la conversión de la Magdalena;

---

72. V. en el libro del doctor GREGORIO MARAÑÓN *Antonio Pérez*, Madrid, 1963, la reproducción de un supuesto doble retrato de la hija menor de los Príncipes de Eboli —¿en el mundo y ya monja?— despojándose de las joyas, existente en la Colegiata de Pastrana. En cuanto al citado de la Calderona muy reproducida, se incluye en el libro de Deleito Piñuela, *También se divierte el pueblo*. Madrid (conocemos otro análogo de composición en propiedad particular en Madrid de principios del siglo XVII).

pero el sentido de actualización de adornos y ambiente
le da cierto carácter de retrato a lo divino, o mejor aún
quizá, más que de santa, de alegoría o *Vanitas* con un sentido
realista análogo al que en lo holandés ofrece Vermeer en su
cuadro de la Fe. Un expresivo ejemplo de mediados del
siglo XVII, de un exuberante barroquismo con fuerte influjo
flamenco, vemos en un lienzo hoy en la colección del Museo
del Prado depositada en el Palacio de Carlos V en Granada.
Representa a una noble dama ricamente vestida y enjoyada,
sentada junto a una mesa con tapete, en un suntuoso
salón, con cortinajes, alfombras y cojines, que abre a un
luminoso paisaje. Sobre la mesa, un bello florero y un cofre
de joyas, alguna caída en el tapete. Por delante caídos a
sus pies vemos un espejo de mano, un rico collar de perlas,
y apoyado en una silla, un violín y libro de música. Sobre
un cojín, sentado, nos mira un perrillo y, al fondo, sobre
la alfombra, juguetea un mico. La dama se mueve con gesto
de sorpresa y horror, cogiéndose el collar de perlas de su
cuello, y mirando hacia el cielo de donde unos luminosos
rayos vemos lanzados sobre ella; más que una actitud de
meditación parece haber sido conmovida por el anuncio
de la muerte en pleno goce de sus riquezas y deleites terrenos.
Es claro, pues, su sentido de *Vanitas*.

Como muestra de retrato moralizador de valor de Vanitas,
que a la mirada de hoy no parecería tal, merece recordarse
el lienzo atribuido a Nicolás Verkolje que representa a un
bello joven de grave gesto que toca una viola de gamba
—Cracovia Castillo Wawel—. Como comenta Jan Bialostocki, «en este caso, la música es asociada con la inscripción
«Sic transit gloria mundi» (así pasa la gloria del mundo)
y de este modo se da el contenido de la vanitas a esta composición aparentemente de género»[73].

Como vemos por el rapidísimo índice que hemos apuntado las formas complejas de intencionalidad moralizadora
que ofrece el retrato en el Barroco son más de las que se
sospechan al enfrentarse con el tema. Estas anotadas, con

73.   V. JAN BIALOSTOCKI, *Estilo e iconografía. Contribución a una ciencia de
las Artes,* Barcelona, 1972, pág. 198.

su espiritualidad y sentido trascendente —dentro del más vigoroso realismo—, nos permiten comprender mejor el ambiente sobre el que la intención extraartística —o supra-artística— del pintor y las exigencias de orden social, hicieron posible la forma del retrato a lo divino.

LA PRESENCIA DEL RETRATO A LO DIVINO EN LA POESIA BARROCA ESPAÑOLA

Las composiciones poéticas que nos movieron a escribir una nota bajo el título de «Retratos a lo divino», con la mira de buscarle una interpretación al tipo iconográfico que ofrecen los cuadros de Santas de Zurbarán, eran pocas; pero se fueron aumentando hasta duplicarse, sin que nos hubiésemos propuesto una búsqueda intencionada: solamente lo surgido ocasionalmente en nuestras lecturas y estudio de la poesía española del Barroco [74].

Las primeras composiciones que destacamos fueron: un soneto de Ulloa Pereira escrito «En ocasión de haber puesto una dama la copia de su rostro en una imagen de Santa Lucía» [75] —publicado en 1674— y un epigrama del Príncipe de Esquilache —publicado en 1654— dedicado «A una dama retratada con la insignia y vestido de Santa Elena» [76]. Y

74. V. nota 5 de este ensayo.

75. Lesbia, que nunca confesó
    [fortuna
en copiar tu beldad maravillosa,
siempre de leve imperfección quejosa,
y siempre a los pinceles importuna;
para tener con novedad alguna,
aun más adoración que por hermosa,
forma de santa se usurpó ambiciosa,

con que quiso ser dos y fue ninguna.
Que a todas luces la pintura vana,
(de la soberbia presunción remota)
confunde la noticia indiferente.
Y divina la lámina, o profana,
ni a la Lesbia se parece por devota,
ni a la santa por poco penitente.

Las Obras en verso de D. Luis Ulloa Pereira, Madrid, 1674, pág. 51.

76. *Epigrama XI.*
¡Oh, qué bien, Lucinda estáis
disfrazada Santa Elena
con insignias de la pena
que de continuo me dais!

Y si esto sucede así,
traer la cruz por los dos,
pues no sois la santa vos,
y en la vuestra padecí.
. . . .

Las obras en verso de D. Francisco de Borja, Príncipe de Esquilache..., Amberes, 1654.

como ejemplo análogo también recordábamos un soneto
de Lope de Vega «A una tabla de Susana, en cuya figura
se hizo retratar una dama»[77]. Después añadimos, como
composición anónima de una Academia madrileña, un
«Soneto de una dama de esta corte alabando una excelente
pintura de una santa en la que el pintor copió el rostro de
cierta dama hermosísima»[78] —publicado en 1635— y otro
del poeta cortesano Salcedo Coronel, comentarista de Góngora,
dedicado «Al retrato de una dama en traje de Magdalena
penitente» —publicado en 1649—[79]. Todo ello lo pudimos
completar con una larga e importante composición inédita
escrita dentro de los tres primeros años del siglo XVII: unas
«Décimas de don Luis Carrillo y Sotomayor a Pedro de
Ragis, pintor excelente de Granada, animándole a que copie

77. Tú, que la tabla de Susana
                          [miras,
si del retrato la verdad ignoras,
la historia santa injustamente adoras,
la retratada injustamente admiras.
Mas, tú que de los viejos te retiras,
¿qué fuerza temes?, ¿qué violencia
                          [lloras?,
pues vives tan segura a todas horas

de fuerza, testimonios y mentiras.
Dos esta tabla juntos manifiesta;
el de Susana, honor del matrimonio,
que la afición decrépita contrasta.
Y el tuyo, Fabia, en vida tan
                          [compuesta,
que para levantarte un testimonio
es necesario que te llamen casta.

Recogido por F. J. Sánchez Cantón, en *Fuentes literarias para la Historia del
Arte Español*, tomo V, Madrid, 1941, pág. 405.

78. *Jardín de Apolo. Academia celebrada por diferentes ingenios*, recogida por
don Melchor de Fonseca y Almeida, 1655; citado por Serrano y Sanz en
Apuntes para una biblioteca de escritoras españolas, Madrid, 1903, núm. 413,
página 143.

79. *Soneto 30.*

De qué lloras, oh Fili, arrepentida,
si tu desdén, inexorable al ruego,
burló mi queja, despreciando el fuego
que ardió en la nieve de su edad
                          [florida.
Si entre el silencio quieres,
                          [desmentida,
asegurar, oculta, mi sosiego

cuando te ignore el apetito ciego,
no podrá la razón ya reducida.
   Sediento de tus luces examino
entre las sombras su esplendor
                          [primero]
que usurpó al vulgo religiosa mano.
   Lisonjear tus aras determino
agradecido al culto verdadero
o compelido del afecto humano.

En *Cristales de Helicona. Segunda parte de las Rimas de don García de Salcedo
Coronel...*, Madrid, 1649 (tasa de 1650).

el retrato de una señora deuda suya, en figura del Arcángel San
Gabriel»[80]. En este caso la dama se concreta en el poema
con el recurso del acróstico: doña Gabriela de Loaisa per-

80. Se conserva en un manuscrito de la Biblioteca de la Hispanic Society
al que conocimos por don Antonio Rodríguez Moñino. Constituyó elemento
central de nuestro libro *Amor, Poesía y Pintura en Carrillo de Sotomayor*, donde
lo dimos a conocer. Granada, 1968. He aquí el texto completo del poema:

1   Pues que imita tu destreza, / ¡oh Ragis!, no al diestro Apeles,
      en la solercia, en pinceles, / en arte, industria y viveza,
      sino a la Naturaleza; / tanto que el sentido duda
      si tiene lengua, o es muda. / la pintura de tu mano,
      o si el pintor soberano / a darle alma y ser te ayuda.

2   Hoy favorecido dél, / tabla o lámina prepara
      para la empresa más rara / que emprendió humano pincel;
      pinta al Arcángel Gabriel, / gloria de su Hierarquía,
      con el aire y gallardía / de la más hermosa dama
      que LOA y SALVA la fama / anunciando a su Mesía.

3   No traces ni hagas bosquejo / de esta admirable pintura,
      sin mirarte en la hermosura / de quien della es luz y espejo;
      que aunque sigas mi consejo / no saldrá el retrato tal
      que iguale al original; / anima y esfuerza el arte,
      podrá ser que imite en parte / su belleza celestial.

4   Para retratar su pelo, / del oro las hebras deja
      y húrtale su madeja / al rubio señor de Delo;
      los rayos digo que al suelo / más ilustran y hermosean
      que rayos quiero que sean / de luz, si de fuego son,
      porque el alma y corazón / con más fuego y luz le vean.

5   Fórmale rizado en parte, / que hace riza, y ha de ser,
      red no, casa de placer / del amor Venus y Marte;
      lo demás vuele sin arte / por el cuello y por la espalda;
      del rubí, de la esmeralda / y brillante pedrería,
      que el sol con sus hebras cría, / le ciñe rica guirnalda.

6   Deja colores del suelo / para dibujar su frente
      y tome el pincel valiente / lo más sereno del cielo;
      tu cuidado y tu desvelo / de la vía láctea, breve
      parte tome, si se atreve, / y saldrá desta mixtura
      serenidad y blancura / de cielo claro y de nieve.

teneciente a la más ilustre aristocracia granadina. La fecha
de este retrato coincidiría, pues, con dos italianos que citamos en otro párrafo de este ensayo. La importancia de
la composición, en todos los sentidos, es prueba de la gran

---

7   Cambia al ébano el color / y con él en vez de tinta,
dos iris hermosas pinta / en este cielo menor,
prendas que nos da el amor / de paz y serenidad;
mas si encubre su beldad / nube de ceño, o se estiran,
arcos son, y flechas tiran, / de justa inhumanidad.

8   Alienta el pincel y copia, / si tú el aliento no pierdes,
dos soles, dos niñas verdes, / luz de mi esperanza propia;
de rayos perfila copia / en una y otra pestaña,
pero de sombra los baña / aunque, si ciega, su fuego
si no quieres quedar ciego; / admira, eleva, no daña.

9   Recoge su honesta vista / con gráve modestia, y guarte
no mire más que a una parte, / que no habrá quien le resista.
Almas y vidas conquista / de lo más grave y más fuerte,
que es fuerte como la muerte / su mirar dulce y suave;
mas dichoso aquel que sabe / que le ha cabido la suerte.

10   Forma dos nubes hermosas / embestidas destos soles
o dos bellos arreboles / o dos virginales rosas;
(pues que no nos da otras cosas / de otra belleza más rara
la naturaleza avara): / y harás sus mejillas dellas,
más hermosas y más bellas / que las del Aurora clara.

11   Haz la nariz afilada / de color de blanca nieve
que el alma y los ojos lleve / de sola una vez mirada;
chica no, sí moderada, / y dos ventanas en ella
cada cual rasgada y bella / por donde se tenga aviso
del olor del paraíso / que espira debajo della.

12   Guijas de plata lucientes / toma, o perlas orientales,
y finísimos corales / para hacer labios y dientes.
Las gracias no estén ausentes / de lengua, que, si se mueve
enseña, deleita y mueve; / antes las finge estar dentro
de su boca como en centro / suyo y de las musas mueve.

estima que en ese momento se le concedía a ese nuevo género de retrato. Por otra parte anotemos cómo el enamorado
poeta —que pronto sufriría un hondo desengaño— se sintió
arrastrado tras su brillante descripción, a dar un profundo

---

13   Marfil terso, blanco y bello / y alabastro preparado
materia de al descollado, / hermoso y divino cuello;
y, si el amor quiso hacello / torre fuerte y su armería
para darnos batería, / hazle tu castillo fuerte,
barrera contra la muerte, / y vistosa galería.

14   De la nieve más helada, / del cristal más fino y claro,
del mármol mejor de Paro, / de la plata más cendrada,
toma parte y, desatada / con leche, encarna sus manos
tales que los soberanos / ángeles dellas se admiren
y con respeto las miren / y se las besen ufanos.

15   La derecha el dedo alzado / tenga, mostrando que viene
de Dios todo el bien que tiene / y que es del cielo legado;
la izquierda ostente preciado / ceptro de oro que es su ser,
quien puede y debe poner / al mesmo Cupido leyes,
y a quien los grandes y reyes / se precian de obedecer.

16   Los matices ordinarios / guarda para otra ocasión
y gasta aquí los que son / indicio de afectos varios;
toma como extraordinarios / al rubí su colorado,
a la amatista el morado / y su verde a la esmeralda,
toma al topacio su gualda   y al zafiro el turquesado.

17   Destos matices y el oro / de Arabia más bien obrado,
su ropaje harás bordado / para encubrir con decoro
del gusto el mayor tesoro, / el nácar de más fineza,
la suavidad y belleza / de un paraíso terreno
en quien cuanto hizo bueno / cifró la naturaleza.

18   Poco he dicho, mucho allano / este Arcángel peregrino,
este sujeto divino, / este trono soberano;
deste Serafín humano, / mi Arcángel hacer conviene;
haz, ¡oh Ragis! porque llene / tu pincel mi corta idea
y el siglo futuro vea / lo que el nuestro goza y tiene.

sentido moralizador, de vanitas, al cerrar su poema con
el anuncio de la destrucción de la muerte:

> *Mi intento, señora, ha sido*
> *En pintar esta deidad,*
> *Sacar a luz la beldad*
> *Increíble que has tenido:*
> *Antes que al tiempo el olvido*
> *Suceda y al sol la helada:*

---

19   Y si te saliere tal, / en bronce o tabla más tierna
      que merezca ser eterna / copia de este original,
      dale mi alma inmortal / para que anime el retrato,
      que alma humilde de hombre grato, / que está menos donde anima
      que donde ama, más se estima / que alma noble en cuerpo ingrato.

20   Mas, ¡ay! loco devaneo. / que pida yo un imposible,
      porque lo hace posible / mi afición y mi deseo;
      difícil es, bien lo veo; / mas el brío y ardimiento
      de tu honroso atrevimiento, / ¿a qué aspira que no alcanza?,
      y, cuando no, mi esperanza / premio es bastante a tu intento.

      AL ORIGINAL DEL RETRATO

21   Divino Arcángel que al Cielo / Oscurece su hermosura,
      Nublados desta pintura. / A tu altar sirvan de velo;
      Gloria y belleza del suelo / Admite con rostro humano
      (Bien cual Jerjes del villano / Recibió el agua) este don
      Y alma y vida y corazón / En fee que están en tu mano.

22   Las gracias de tu alma pura / A Apolo manda el amor
      Describa con su primor / En verso de más dulzura;
      Lo cierto es que en su escriptura / O en verso sea o en prosa
      Abrás de ser bella diosa, / Y si Apolo verdad canta
      Serás noble, afable y sancta / Aún más que bella y hermosa.

23   Mi intento señora ha sido / En pintar esta deidad,
      Sacar a luz la beldad / Increíble que has tenido;
      Antes que al tiempo el olvido / Suceda, y al sol la helada;
      Antes que a tu edad dorada / La de plata encubra y seque
      Un accidente y te trueque / De cielo que eres, en nada.

Zurbarán.
Santa Catalina.
Museo de Bilbao.

Zurbarán.
Santa Casilda.
Museo del Prado.

Obra probable de Juan de Sevilla. *Desposorios*
místicos de Santa Catalina. Catedral de Málaga.

Juan de Sevilla.
Santa Clara.
(Retrato a lo divino.)
Granada.
Colección particular.

Antonio Villamor.
Santa Catalina.
(Retrato a lo divino.)
Museo de Bellas Artes.
Salamanca.

Antes que a tu edad dorada
La de plata encubra y seque
Un accidente y te trueque,
De cielo que eres, en nada.

Estos textos estimados son los suficientes para testimoniar la existencia de una moda —no sólo cortesana— de retratarse las damas con actitudes, gesto y atributos de santas. Y reconocida la presencia de ese tipo de retrato a lo divino es lógico deducir no sólo el esencial influjo formal y expresivo que ejercería sobre él la iconografía religiosa, sino también el recíproco de ese género híbrido, de realismo y divinización, sobre la pintura de santas propiamente dichas; esto es, hecha con la pura intención devocional. Observemos que las tres santas, cuyos nombres se concretan —Lucía, Elena y Magdalena—, son de las más frecuentemente representadas en la pintura barroca española, las dos primeras con ejemplos repetidos en la obra de Zurbarán.

EL RETRATO A LO DIVINO Y LA PINTURA BARROCA ANDALUZA

Nuestra intención al publicar esas composiciones poéticas era procurar dar una interpretación al tipo de retratos de santas pintados por Zurbarán, partiendo de un hecho de la vida social; pues lo que testimonian es una moda entre las damas que, casi con seguridad, se representaban así ostentando cada una los atributos de la santa que le correspondía por su nombre. Decimos esto porque en el más importante poema de este tipo que conocemos nos ofrece, según queda dicho, a una doña Gabriela retratada en figura del Arcángel San Gabriel. En cierto modo es una unión —o mejor dicho en este caso, confusión— análoga a la que nos ofrece la pintura medieval de donantes acompañados de sus respectivos patronos. Junto a los tipos creados por Zurbarán —que tendrían quizá antecedentes en artistas del círculo de Pacheco, como lo demuestra el citado del granadino Raxis— es frecuente en lo andaluz posterior de aquél, sobre todo en los seguidores de Murillo, los bustos de Santas con atributos dentro del mismo carácter de retrato. Y a ellos se unen otros granadinos contemporáneos y posteriores, de los que comentamos luego algunos desconocidos.

No queríamos —repetimos— afirmar que todos los retratos de santas que en abundancia realizó Zurbarán —y que repitieron otros después— eran auténticos retratos a lo divino, sino que ese tipo de retrato que sabemos fue frecuente —y lo fue también entonces y después fuera de España— y no sólo como exclusiva moda cortesana, fue el principal determinante de ese tipo en concreto de retrato de santas repetido por Zurbarán. Naturalmente que sí creemos que alguno de los que conocemos en efecto lo son. Decíamos entonces que el hecho de que la figura de una misma santa sea vista en la infancia y en la juventud —como ocurre con el caso de Santa Casilda que la representa niña, en el lienzo procedente de Granada, y ya mujer en su plenitud, en el lienzo del Museo del Prado— estaba indicando se trataba de visiones inspiradas por un modelo humano concreto y no por un tipo iconográfico religioso hecho. Podrá representarse a la Virgen María niña o mujer; pero una santa cuyos atributos se ligan a un hecho, ya de su vida, ya de su martirio o muerte, no tiene sentido se represente —y menos por un mismo artista— con un tan decidido cambio de edad. Y el caso puede confirmarse con otro cuadro granadino —posiblemente de Juan de Sevilla— del mismo siglo existente en la catedral de Málaga y que representa —en composición que recuerda la famosa del Correggio— a la Virgen con el Niño a quienes se acerca una Santa Catalina niña con su espada y otra santa joven, con la palma del martirio, ambas con rasgos de verdaderos retratos. El caso de la niñita —y también el de la santa mártir que parece protegerla como en las tablas medievales— está indicando la clara intención de individualizar, apartándose de lo acostumbrado en la iconografía de la santa. Como confirmación, el mismo pintor nos ofrece un retratito de Santa Clara niña —obra firmada, aunque en mal estado, conservada en propiedad

particular— que demuestra categóricamente el carácter de
retrato de moda de este género a lo divino. La niña se presenta vestida de damita, con amplio escote —y no con
el obligado hábito franciscano— pero portando en la mano
la custodia, atributo característico iconográfico de la santa.

La analogía del primer lienzo con otros del granadino
Bocanegra, representando a la Virgen Madre adorada por
niños con claros rasgos de retratos contemporáneos confirma el hecho de la plena incorporación del retrato a la
composición religiosa que comentamos en el capítulo siguiente de este ensayo [81]. Sobre todo es de señalar el lienzo
de la iglesia de San Sebastián de Antequera en el que una
niña, destacándose de dos pastorcillos se aproxima al pequeño
Jesús formando grupo con él. Y es curioso observar que en
esa misma iglesia hay un lienzo de fecha muy anterior del
pintor y poeta Antonio Mohedano en que también aparece
al pie de la Virgen con el Hijo un retrato de niño en adoración
que, aunque sin enlazar con la Virgen, sin embargo, se
integra en el conjunto, porque tras él un Angel adolescente
le acoge e impulsa para aproximarlo [82]. Indirectamente, pues,
todo refuerza la importancia y frecuencia de los retratos
a lo divino en la España del Barroco. Claro que en este aspecto de integrar el retrato en la composición religiosa hay
sus antecedentes renacentistas y medievales en la pintura
europea; pero ello, por otra parte, reafirma el sentido de
nuestra interpretación.

SOBRE LA INTEGRACION DEL RETRATO
EN LA COMPOSICION RELIGIOSA

Es un hecho bien conocido que el introducir el retrato
dentro de la composición religiosa respondía en parte a una
visión que venía de tradición medieval, especialmente prodi-

---

81. V. nuestro libro *El Pintor Pedro Atanasio Bocanegra*, Granada, 1937.
82. Reproducido en *Las Iglesias de Antequera*, por José María Fernández
(2.ª ed.), Sevilla, 1971.

gada en la pintura gótica y con importantes supervivencias
en el Renacimiento. Los ejemplos de más interés y valía
están en lo flamenco, pero, en parte por su influjo, cuenta
también en la pintura europea de otros países. La forma
normal de esa incorporación, era la colocación marginal
como representación de donantes arrodillados en actitud
de rezo y veneración de la figura central; predominante-
mente de la Virgen con el Niño. Unas veces las figuras
de los donantes arrodillados quedan en paneles laterales,
ya solos, ya acompañados de sus santos patronos; pero
otras, se integran compositivamente dentro del grupo central.
Lo predominante es una unión o inclusión dentro del cuadro;
a veces en menor tamaño respondiendo al sentido de dife-
renciación del plano religioso sobrenatural tantas veces
mantenido en la ordenación jerárquica medieval; pero,
salvo esa actitud expresiva convergente respecto a la figura
central, falta el enlace o participación en una acción, como
intervienen los santos en las agrupaciones o sacras con-
versiones.

Esa introducción del retrato dentro de la unidad de visión
de la composición religiosa, frecuente en la pintura gótica,
alcanza plena y magistral realización con toda fuerza naturalista en Jan Van Eyck. Si en el políptico de Gante quedan
los donantes en tableros aislados, por el contrario en sus
dos composiciones: la Virgen del Canciller Rolin y la del
Canónigo Van der Paele, forman los retratos con la Virgen
una total unidad compositiva; aunque en el primero es más
la Virgen la que se integra dentro del ambiente real contemporáneo del retratado que devotamente la adora en su recli-
natorio. En el segundo la incorporación del santo protector
tras el devoto canónigo arrodillado adquiere un especial
sentido realista —mayor de lo normal en este repetido recurso compositivo de unir los patronos a los donantes—
en la forma en como el santo acciona con vivo gesto de me-
diador presentando a la Virgen su protegido. Más indiferente
quedará la familia Portinari —con la consabida distribución
de mujeres y varones— con sus dobles patronos en los paneles
laterales del gran altar de Hugo Van der Goes. El enlace en

una misma composición se repetirá, entre otros muchos,
en Menling en la tabla de la Colección del Duque de Devon-
shire, aunque los santos patronos protejan y presenten a
sus donantes con más indiferente actitud. Lo mismo podríamos ver en la pintura alemana y en general en toda la pintura gótica europea y, por supervivencia, en el siglo XVI.
Algunos de los mejores retratos del siglo XV corresponden
precisamente a composiciones religiosas en que aparecen
como donantes. Pensemos en la «Piedad» de Aviñón, en la
«Adoración del Niño» —de un caballero y santo patrono—
de allí mismo, o en la «Piedad» de Bermejo, o en la «Virgen
de los Concelleres» de Dalmau. Un tema que favoreció esta
integración del retrato con la figura religiosa central fue
el de la «Virgen de la Misericordia» que la representa ampa-
rando a los devotos bajo su manto. Dentro de ese tipo queda
situada la «Virgen del Buen Aire» o «de los navegantes» de
Alejo Fernández con algunos de los mejores retratos que se
pintaron en Andalucía en su siglo.

La inclusión del donante o donantes en la composición
religiosa se mantiene en el siglo XVI incluso con el sentido
ordenador jerárquico típico medieval, representando la figura
humana real más pequeña que la religiosa. Este rasgo a
veces se extrema hasta lo chocante —cual si fuesen muñecos—
como vemos en la pintura de Durero, en el retablo de Paum-
garther —1503— de la Pinacoteca de Munich y en el «Descendimiento de Cristo» de allí mismo. En la pintura alemana,
precisamente hay un caso verdaderamente extraño en la
forma de introducir el retrato; nos referimos al cuadro de
Lucas Cranach, el Viejo, representando «El Linaje de la
Virgen». En el fondo tras una especie de gran balcón asoman
junto a San José, dos caballeros que dialogan con gesto
meditativo. Formalmente están plenamente introducidos en la
composición, pero quedan ajenos a la acción representada;
si bien puede pensarse dialogan sobre la ascendencia de
Jesús. En contraste la misma pintura alemana, medio siglo
después, con Holbein el Joven, al interpretar el tema tradicional de la Virgen de la Misericordia, nos da la visión más
intensamente realista y natural. A un lado y otro de la

Miguel Angel. *Piedad*.
(Fragmento con el
autorretrato.) Catedral.
Florencia.

Virgen se agrupan los varones y hembras de la familia del alcalde Jacobo Meyer, en proximidad inmediata de Aquélla, e integrándose, así, en un todo compositivo realista; aunque entre la figura de María y los devotos que tiene junto a sí a sus pies no se produzca una relación de enlace o acción. Las figuras de los retratados están sólo en actitud de adoración, pero la Virgen y el Hijo solamente por su colocación y atuendo, corona y bella humanidad, se distinguen con sentido religioso de esa familia arrodillada a sus pies.

Pero hay que subrayar en el siglo XVI el hecho de que no sólo se hagan más frecuentes las figuras de donantes incorporadas a la composición, sino que los retratos se identifiquen con personajes que intervienen en la escena. Con acierto John Pope-Hennessy ha dedicado un capítulo de su citado libro a estos casos de retratos de donantes y participantes considerando varios casos expresivos de la pintura flamenca, alemana e italiana [83]. No creemos necesario recogerlos aquí; pero sí el destacar los casos del Manierismo y prebarroquismo veneciano de los que reproduce varios conjuntos y detalles. Los ejemplos del Tiziano, del Veronés y sobre todo del Tintoretto son de especial interés; sobre todo esos casos en que vemos interviniendo junto a la figura principal un personaje de la época del pintor, en forma que se haría verdaderamente señalado para los contemporáneos. En algunos casos, lo principal, cuantitativamente es el grupo de retratos, de familias completas. Esa concepción del retrato la veremos en España alcanzar un punto extremo en el Greco. Composición repetida, tanto en la pintura como en la escultura, es de señalar los casos en que un artista se representa como Nicodemus sosteniendo el cuerpo de Cristo muerto al darle sepultura. Conocidísimo y famoso con razón, por su misma emoción religiosa, es el grupo escultórico de la Piedad de Miguel Angel en la Catedral de Florencia. También es conocido el lienzo del Tiziano en el Museo del Prado. Pero no debemos olvidar entre los casos que reproduce el citado crítico el Enterramiento del Tintoretto en San Gior-

---

83. *The Portrait...*, cap. VI, «Donor and Participant», págs. 25 y sigs.

El Greco. *Entierro del Señor de Orgaz*. Iglesia de Santo Tomé. Toledo.

gio Maggiore en Venecia; el Cristo muerto con Nicodemus de Savoldo —Cleveland—, y en la escultura el grupo de Baccio Bandinelli en la Annunziata de Florencia.

El Manierismo hará frecuente la composición religiosa con medias figuras de retratos en la parte inferior que quedan relacionadas más o menos ajenas a la escena o personaje religioso central. Caso intenso de concentración es el pequeño cuadro de Moroni con busto de caballero adorando a la Virgen. Está absorto ante Ella, que en cambio nos mira a nosotros como reclamando adoración. En composición amplia con figura de donantes de caballero y dama en destacado primer término —él con gesto de asombro de admirar la visión de los santos adorando a la Virgen y el Niño— podemos recordar como ejemplo del primer Barroco romano el gran lienzo de Lucas Carracci en el Museo Cívico de Cento.

En cuanto gran composición integrando el retrato en la escena religiosa nada comparable —según acabamos de decir— al «Entierro del Señor de Orgaz» del Greco —superior a lo que en el mismo sentido pudo ver en Venecia, especialmente en el Tintoretto— donde, reforzando el hecho milagroso del descender a este mundo San Agustín y San Esteban para dar sepultura al virtuoso caballero, en premio a sus buenas obras lo representó como sucediendo en su propia época. Quienes se asombran del milagroso acontecimiento, son los caballeros toledanos, religiosos y sacerdotes contemporáneos, amigos del artista. El mismo nos mira entre ellos, y su propio hijo, en primer término nos llama la atención sobre lo que está sucediendo. Los santos quedan idealizados, aunque vestidos como un obispo y un diácono de entonces. Lo sobrenatural y lo terreno quedan en la más íntima convivencia. Y de ese mundo terreno son, intencionadamente, seres contemporáneos identificables los que dentro de la escena representada viven el hecho milagroso. Pero incluso llegó al extremo de retratar al rey Felipe II entre los bienaventurados en la corte celestial donde se representa el momento trascendental en que un ángel asciende con el alma del virtuoso caballero, mientras María y el Bautista imploran por él a Cristo. Este hecho por otra parte se

corresponde bien —en cuanto a interrelación de lo real
y lo sobrenatural— con también representar a San José
caminando con el Niño, teniendo como fondo la ciudad
de Toledo.

En relación con lo toledano, y en concreto con dicha composición, merece recordarse alguna obra del lego cartujo
Sánchez Cotán, allí formado, pero que, ya maduro abando-
nando el mundo, entregó su vida y su trabajo al servicio
de la Orden, en el Paular y, sobre todo en Granada. Cuando
hizo la historia de su Orden, al representar la escena de la
leyenda que atribuía la conversión de San Bruno y sus discípulos a la resurrección, del sabio maestro Diocres —que
declaró que a pesar de su sabiduría había sido condenado
por el Tribunal Divino— recordó la composición del Greco
y se autorretrató entre los asistentes al extraordinario hecho,
con gesto desbordante comunicativo, como sorprendiendo
el efecto que el acontecimiento produce al espectador. Pero
la obra de este cartujo que especialmente merece recordarse
como integración del retrato en la escena religiosa es su
gran lienzo —hoy en el Museo de Granada— de la Aparición
de la Virgen a San Bruno y sus discípulos. Si históricamente
entre éstos había monjes y legos; con perfecta identificación
Cotán se autorretrató como uno de éstos, también recibiendo
un rosario, pero con gesto modesto en último lugar. La integración del retrato en este caso resulta plena, dado que en
nada se diferencia externamente el lego pintor de los demás
religiosos, discípulos del santo.

La composición religiosa —Virgen o Cristo preferentemente—
con retratos de media figura a los pies, como se ofrece también en el Greco, constituye un tipo compositivo que se repite en la época barroca y con ejemplos notables en Toledo
y Andalucía. En el manierismo toledano junto al Greco es
de señalar la Virgen de la Rosa —en la Academia de San Fernando— de Blas de Prado. En el primer término junto a los
patronos, San Francisco y San Antonio, están arrodillados
los donantes, y entre ellos el hijo, un niño que con sentido
compositivo desbordante nos mira y señala hacia la Virgen
con el Jesús que se descubre entre nubes. Y con menos apa-

rato la Virgen con el Niño del Museo del Prado, nos presenta
incorporado a la composición un vigoroso retrato de Alonso
de Villegas, autor de un famoso Flos Sanctorum. No es extraña esta especial valoración del retrato de donantes in-
tegrados en la composición religiosa en la tradición pictórica
toledana. Buenos ejemplos de ello ofrece en varias obras
Juan Correa. Pero del período plenamente manierista uno
de los ejemplos más expresivos —pues se trata de auténticos
retratos a lo divino— es el que nos ofrece Pantoja de la Cruz
en su Nacimiento, con adoración de pastores y gloria, existente en el Palacio de Pedralbes de Barcelona. En él se nos
ofrece una serie de jóvenes pastoras que se representan con
gestos y actitudes de damas retratadas, incluso ajenas a la
escena en que intervienen. Así miran al espectador como
sabedoras de que están siendo retratadas. No es extraña
esta interpretación de Pantoja, dado, que, como se indica
en otra parte de este ensayo, llegó incluso a colocar el rostro
de la reina en la Anunciación a María.

En Andalucía se cultiva el tipo de composición de Virgen,
Cristo o figura religiosa con retratos al pie, desde Pacheco
—recordemos el lienzo de la Colección Cerralbo— a Valdés Leal —pensemos en la Inmaculada de la National
Gallery— pasando por el propio Zurbarán. A este último
corresponden algunas de las obras en que con más sentido de
inmediatez e intimidad espiritual se une el retrato a la imagen religiosa. Así lo vemos en la Inmaculada adorada por
dos clérigos niños, en el Crucificado con un caballero orando
—que existía en Vitoria— y, sobre todo, en el impresionante
lienzo que representa también a Cristo en la Cruz, teniendo
a sus pies a un viejo pintor que lo contempla como implo-
rando misericordia, como hombre y como artista; pues si
en una mano presenta su paleta con la otra se golpea el
pecho como pidiendo perdón. El hecho de que la crítica
haya vacilado de si se trata de un autorretrato o de un
San Lucas, nos está diciendo hasta dónde se confunde el
retrato y la figura religiosa. Por eso podríamos pensar se
trata de un autorretrato a lo divino, esto es, representándose
como San Lucas. Pero de todas maneras lo que queda pa-

tente es cómo en Zurbarán se superponía, como en ningún otro pintor de su tiempo, el mundo religioso sobrenatural y el de la realidad cotidiana.

De fecha inmediata posterior queremos recordar otra forma y razón de integrar el retrato en la composición religiosa que nos ofrece la pintura granadina. La ciega admiración sentida por los discípulos del racionero Alonso Cano les hizo a los más inmediatos y destacados colocar su rostro en la figura de algún sacerdote que participa en la acción representada. Así Pedro Atanasio Bocanegra, en su lienzo de la «Visita del Papa Nicolás IV al cuerpo de San Francisco de Asís», presenta con rasgos coincidentes con los del supuesto autorretrato del maestro, la figura destacada de sacerdote portando una antorcha que se postra junto al Pontífice ante el cadáver en pie del santo momificado. Aún mayor importancia le dio Juan de Sevilla a la figura de sacerdote que, en su gran lienzo de «La última comunión de Santa Agueda» —como el anterior en el Museo de Granada— presenta dándole la sagrada forma a la santa. Por cierto que, como en otras composiciones religiosas del artista, se autorretrató el pintor en modesto lugar marginal.

LOS CUADROS DE SANTAS DE ZURBARAN
Y SU INTERPRETACION

Tras de la publicación de nuestro citado artículo de interpretación del dicho tipo de cuadro zurbaranesco, el hispanista Martín Soria en un trabajo dedicado a señalar la inspiración de cuadros españoles en grabados flamencos, destacó entre ellos dos de santas que ofrecían cierta analogía con algunas de las aludidas santas de Zurbarán[84]. A su juicio la creación de ese tipo de cuadro estaba explicado con esos modelos que ofrecían los grabados.

Nuestra hipótesis mereció la conformidad de Sánchez

---

84. «Some flemisch sources of baroques painting in Spain», en *Art Bulletin*, 1948, págs. 253 y sigs.

Cantón en su trabajo dedicado a comentar «la sensibilidad de Zurbarán»[85]. Cuando Paul Guinard estudió el tema en su gran libro sobre el pintor extremeño, acogió las dos hipótesis, planteándose como conclusión, una serie de interrogantes. «Se encuentra una vez más —decía—, pero de manera más aguda, este conflicto de fondo, ya muchas veces señalado. ¿Cómo nacen las obras de arte? ¿De los libros o de la vida? ¿Del mito o de la realidad?» Y continuaba después: «¿Es preciso tomar partido? Es preciso notar —añadía— que, si el ritmo y la línea un poco enfática de las santas flamencas hacen pensar en Zurbarán, son analogías muy generales y que ni sus contornos ni sus formas hinchadas permiten llevar la comparación muy lejos. Hay un estilo de época que se encuentra igualmente en Francia, en la serie, un poco más tardía de las santas de Calude Melben. ¿Es preciso preguntar, por otra parte, si la moda del retrato a lo divino se extendió a toda España o quedó patrimonio de la Corte? ¿Y la clientela sevillana de Zurbarán era femenina y aristocrática? En fin —concluye—, ¿por ingeniosas que sean estas dos explicaciones, son convincentes?»[86]

En parte hemos ya contestado indirectamente a alguna de estas interrogantes que plantea el ilustre hispanista, en nuestro libro ya citado, *Amor, Poesía y Pintura en Carrillo de Sotomayor*. En primer lugar —como acabamos de decir— no pretendíamos dar como retratos toda la serie de cuadros de santas que vemos en el Museo de Sevilla y las dos grandes series que años después pintó para Lima —1647— y para Buenos Aires —1649—. Pensamos, en concreto, en las dos santas Casildas, en la pareja del Museo de Bilbao, en la Santa Inés de Lugano, en la Santa Lucía de Washington y en la Santa Margarita de Londres. Pero lo importante para nosotros es que, sean o no en realidad estos u otros cuadros de santas, auténticos retratos, Zurbarán debió pintar algunos de ellos, y, sobre todo —y es lo esencial de nuestra hipótesis—, que ese tipo de retrato a lo divino in-

---

85.   Conferencia dada en la Universidad. Granada, 1944.
86.   *Zurbarán et les peintres spagnols de la vie monastique*, París, 1960, pág. 148.

fluyó también en sus pinturas de santas hechas con la intención de adornar el templo. Esto es; quiso que tuvieran, por su realismo, actitudes y atuendo, esa apariencia de retratos de dama y compostura de personaje teatral.

Como después de lanzar nuestra hipótesis encontramos otras composiciones poéticas —ya enumeradas— que incluíamos en nuestro citado libro, resultó aún más asentada nuestra opinión de que fue moda en la corte el retratarse con atributos y actitud de santa. Pero además —y contestamos con ello a otra de las interrogantes del profesor Guinard— el tema centro de nuestro citado libro es la referida composición, de brillante y cuidado estilo —y demostrando sabiduría de concepto y práctica de la pintura— debida al poeta andaluz don Luis Carrillo de Sotomayor y dirigida al pintor granadino Pedro Raxis y a la joven e ilustre dama doña Gabriela de Loaisa que aquél retrataba en la actitud, vestido y atributos del Arcángel homónimo. Tengamos presente que Carrillo intelectualmente estaba en relación con la estética sevillana y, concretamente, con las ideas platónicas que alentaban el taller de Pacheco; artista éste que, por cierto, conocía y estimaba a Raxis, que era en esa fecha el pintor más destacado de Granada. Vemos, pues, que este tipo de retrato a lo divino era realizado en esta fecha temprana en Granada y que lógicamente tenía que ser conocido en Sevilla, dada la relación que existió entre pintores y escultores de ambas ciudades. En Sevilla se forma Zurbarán, precisamente en ese ambiente artístico del taller de Pacheco, donde existía más intelectualismo de lo que se suele pensar. El retrato de esta famosa dama granadina celebrado por la poesía de Carrillo —que estuvo enamorado de ella— no debió ser único ni quedar ignorado; y menos en el ambiente que rodeaba a Pacheco. Creo que sabiendo la existencia de este tipo de cuadro comprendemos mejor los rasgos de intensidad expresiva y humana realidad de la seductora *Santa Inés* de Alonso Cano; ya recogiera su inspiración en Granada, ya en Sevilla.

Queda asentado, pues, que en fecha anterior a Zurbarán y fuera de la Corte se siguió esta moda. Pensar en que el extremeño no conociera este tipo de retrato cuesta trabajo creerlo. Además no hay tampoco duda que tuvo relación con la aristocracia, precisamente allí en Sevilla. Como buen testimonio está el gran retrato del Conde de Torrepalma niño hecho en Sevilla. Y con nobleza de allí mismo parece relacionarse el retrato del joven caballero del Hospital Tavera, a juzgar por los datos y sugerencias de María Luisa Caturla que recoge el citado crítico.

A pesar de que Guinard concluye afirmando que lo esencial de la creación de las santas zurbaranescas está en la personal visión de lo femenino y religioso del artista, sin embargo se ve también llevado a consideraciones de orden ambiental y de influjo de las formas teatrales, aunque estime que una cosa eran éstas y otras las de la realidad de la sociedad aristocrática. Así, terminan sus interesantes observaciones: «Grabados, pinturas, modelos vivos han podido orientar a Zurbarán, sugerirle líneas, actitudes, pero es permitido creer que todas estas criaturas graves y encantadoras, son primeramente una emanación de sí mismo, una proyección de lo eterno femenino que este tímido preserva fuera del tiempo. Estas vírgenes sabias, reservadas, altaneras, a las cuales los pesados adornos crean una coraza, permanecen misteriosas en su candor indiferente y como al margen de la vida»[87].

Es innegable que el espíritu sencillo y tímido del artista extremeño, que con acierto caracteriza el fino crítico, está presente en estas creaciones de figuras femeninas; pero hay otros aspectos determinantes de la concepción de este tipo de santas que el mismo autor considera previamente en espontánea asociación y también recordando sugerencias de María Luisa Caturla. Es ello el aspecto equivalente que ofrecen estas figuras con las que habían de darse en las representaciones teatrales, con ricas y vistosas vestiduras anacrónicas. Incluso se refiere —con lógica asociación— a las comedias de santos tan gustadas por el variado público de los corrales; y hasta concretamente, ante figuras como la Santa Margarita de Londres —con su gran sombrero de paja

87. *Id.*, pág. 149.

y sus alforjas— nos dice, con acierto: parece un retrato, y con esos atavíos nos transporta totalmente a una comedia de Lope. No olvidemos que los trajes pastoriles se prodigaban en la escena española, pues, incluso, era indumentaria con que se acostumbraba a representar figuras religiosas y alegóricas. Unían una visión realista con un sentido intemporal alegórico de la evocación pastoril arcádica.

Considerando el mismo Guinard un conjunto —aunque de inferior calidad y muy destrozado— como el de la serie del Convento de Santa Clara, de Carmona, de acuerdo con la sugerencia de la citada zurbaranista, piensa en que colocadas, como están, a lo largo de la nave, responden a un verdadero sentido compositivo de procesión, con una monótona y expresiva repetición de letanía de santas.

Creemos es acertada esta visión, pero en ella vemos, asimismo, un sentido ambiental de acercamiento a los fieles, de acuerdo con una visión que no es de apariencia fantástica lejana, sino de reflejo directo de damas jóvenes individualizadas, en una aproximación y hasta casi confusión con las que asistían a la ceremonia religiosa. La concepción de sentido de retrato se imponía en este cortejo de santas que acompañaban a los devotos reunidos en el centro de la nave del templo. Pienso que, en general las series de santas, más que concebidas para situarse en retablos, lo fueron para ser colocadas a lo largo de la nave del templo. Así lo están también el pequeño grupo de lienzos barrocos granadinos que presentamos seguidamente.

LA INFLUENCIA DEL RETRATO A LO DIVINO
EN LA PINTURA RELIGIOSA.
UNAS OBRAS DE RISUEÑO DESCONOCIDAS

Tras las consideraciones generales que hemos apuntado, el aspecto que queremos subrayar ahora es, precisamente, el hecho de cómo el género como tal retrato a lo divino influyó a su vez en la visión realista de la representación de santas. Y en parte lo mismo podríamos decir del cuadro

Risueño. *Santa Justa*.
Iglesia parroquial de
Orgiva. Granada.

Risueño. *Santa Inés*.
Iglesia parroquial de
Orgiva. Granada.

Risueño. *La Magdalena*. Iglesia parroquial de Orgiva. Granada.

mitológico en pintores de vena realista como un Velázquez
o un Rembrandt en los que valorando el plano real y cotidiano se llegará a la visión antiheroica. Los atributos y
símbolos adquieren el valor de objetos para recrear con su
apariencia o su corporeidad y alguna vez penetrarse de un
significado irónico.

El realismo en la pintura de santas, representadas como
tales santas, lo vemos, en general, en toda la pintura barroca,
pero se hace más patente —y por ello lo destacamos—
en artistas y escuelas donde se mantiene una tendencia idea-
lizadora. Esto es lo que ocurre en la escuela granadina,
donde el retrato tuvo muy escaso cultivo y, dentro del
predominante tema religioso, se huyó casi totalmente de
la ambientación realista, sin dar entrada al sentido de la
escena de género, al mismo tiempo que se buscaba obse-
sivamente, bajo el poderoso influjo de los modelos de Alonso
Cano, tipos de belleza ideal según las creaciones y estética
del gran maestro. Ello llevó fatalmente a hacer más frecuente el pintar de memoria, distanciándose del modelo
concreto del natural. Por esto cuando el retrato, o mejor
dicho la visión realista de sentido de retrato, se introduce
en una composición, el hecho destaca con especial expresividad. El tipo femenino de tan bella como viva humanidad
que Alonso Cano ofreció en la etapa sevillana en su Santa
Inés de Berlín, a nuestro juicio dentro del influjo del retrato
a lo divino —como en emulación de Zurbarán—, no volvió
a repetirlo.

El hecho más patente de esa visión de la figura religiosa
interpretada con sentido de retrato, lo ofrece precisamente
la representación de santas jóvenes especialmente como
figura aislada. El realismo se extrema sin que el artista
intente idealizar rasgos ni alterar la visión de retrato con
otros aditamentos. La figura aparece con el atributo que
le corresponde como santa virgen o mártir, según la tradición iconográfica, y con una indumentaria, ya de época,
ya de cierto capricho o fantasía, y unas veces con sobriedad
y otras con riquezas y adornos. En ello responden también
a la libertad con que las figuras femeninas se presentaban

en el teatro en todo género de comedias, sin atender a razones
históricas o arqueológicas, ni tampoco de la moda de la
época, aunque en concreto las figuras de santos en general
se ofrecían «como las pintan»; así se señalaba en las acota-
ciones y con ello se mantuvo un recíproco influjo. Así lo
vemos en Zurbarán y en otras obras de pintores andaluces
posteriores, especialmente sevillanos.

En los granadinos no es tan frecuente como en Sevilla
la representación de la figura aislada de santa con aire de
retrato —aunque sí se deleitan Juan de Sevilla y sobre todo
Bocanegra en la pintura de grupo o coro de santas jóvenes,
alguna con aire de dama—, pero el hecho se da, y destacado,
en Risueño, el maestro que cierra, entre los siglos XVII
y XVIII, el período de esplendor de la escuela. Nos referimos
en especial a cuatro pequeños lienzos desconocidos, nunca
citados por la crítica, existentes en la iglesia parroquial de
Orgiva —Granada—, y que son de positiva calidad pictórica.
Representan a Santa Justa, Santa Rufina, Santa Inés y la
Magdalena. En contra de la lógica esta última se representa
como niña; la Santa Inés y una de las santas sevillanas son
dos jovencitas que pudieran ser dos hermanas o también
el mismo modelo. La otra santa es una joven que aparenta
más edad y no muy bella de rasgos. Todas ellas se engalanan
con vistosas vestiduras y adornos que subrayan el carácter
realista de retratos. La rigurosa iluminación, sobre fondo
oscuro, hace que las figuras, por sus actitudes y mirada dirigida al espectador den la viva sensación de que se asoman
a una ventana para contemplarnos y ser contempladas.
El fuerte plasticismo, como obras de escultor pintor, inten-
sifica la sensación de vida y realidad tangible.

No es de extrañar sea este artista el que se destaque en
este aspecto entre los granadinos; porque Risueño rectifica
en parte la orientación de los maestros que le preceden
—Bocanegra y Juan de Sevilla— en el sentido de que al mismo
tiempo que —como ellos— imitaba directamente a Alonso
Cano, procuró con más insistencia el estudio del natural.
No obstante sorprende, aun dentro de su obra, donde al
pintar ángeles o Vírgenes ennoblece los rasgos y se atiene

muchas veces a un modelo ideal de belleza femenina al que procura acomodarse procediendo incluso a pintar de memoria de acuerdo con él. No es extraño que, cuando tuvo que hacer algunos retratos de religiosos de siglos anteriores, cuyos rasgos había de inventar, el artista acudiera a un modelo real próximo y que lo mismo hiciera en algún caso aislado de sus composiciones religiosas [88]; pero sí resulta sorprendente que en toda una serie de figuras de santas procurara presentarlas con exactitud realista de retrato, anteponiendo la fidelidad al modelo a la natural búsqueda de belleza ideal. Podemos pensar sin duda que el pintor atendió en este caso un encargo de la iglesia del pueblo y posiblemente para adornar la nave y colocarlas en los mismos sitios en que hoy están. En consecuencia, tenemos que deducir que el propósito fue pintar a estas cuatro santas como tales santas; pero sobre el artista pesó una tradición del retrato a lo divino que debía tener acostumbrados a los pintores y a los fieles a no encontrar extraño el que las santas jóvenes se ofrecieran como verdaderos retratos, incluso con el recuerdo concreto de quienes serían en muchos casos identificables personalmente con su nombre, pues no se trata del hecho normal de la utilización de un modelo, sino de varios modelos.

Queda claro, a nuestro juicio, que se produjo una mutua influencia entre la pintura religiosa propiamente dicha y la pintura de retratos de esa forma divinizada, en que una joven se ofrecía con la apariencia de la santa cuyo nombre ostentaba. Por eso lo percibimos sólo en la pintura de santas, ya que el género se concretó al retrato femenino. Se comprende, por otra parte, que entre los pintores granadinos cuya actividad estuvo aún más centrada que en otras escuelas, en los temas religiosos, se sintiera más vivamente el deseo de buscar en estas ocasiones la vía de escape hacia

---

88. Nos referimos especialmente a dos de los retratos que, aunque con deterioros, se conservan en el Museo de Bellas Artes de Granada. Son los de Fr. Cristóbal de Ubeda y Fr. Cipriano de Santa María; en el primero vemos los rasgos de un modelo utilizado por el artista en otras composiciones.

la viva y concreta —y bella como de figuras jóvenes— realidad contemporánea; y sobre todo en Risueño, cuyo arte se sintió tan atraído por la observación realista de lo humano. Había en él un temperamento de pintor realista que si no se desbordó fue por estar inserto en una tradición artística en la que todavía se enseñoreaba la influencia tiránica del arte de Cano que ante todo había buscado belleza, aunque belleza con vida y no abstractos ideales. Sus escapes de realismo, como su retrato del Arzobispo Azcargorta o sus imágenes de San Juan de Dios y varios de sus Nazarenos, son de lo más intenso en esta vena realista de todo el arte español de los Nazarenos de su tiempo[89]. Estas pinturas de santas, aparte su positivo valor dentro de la obra del artista, adquieren una especial significación como prueba patente de la influencia de ese género de retrato a lo divino[90].

89. Véase nuestro artículo «Una obra de Risueño»: el retrato del Arzobispo Azcargorta. *Cuadernos de Arte*, vol. I, Granada, 1936. Para el tema del Nazareno —del que nunca se había hablado en relación con este artista— puede verse nuestro trabajo «Unas obras de Risueño y de Mora desconocidas», en *Arch. Esp. de Arte*, núm. 175, Madrid, 1971, donde damos a conocer dos importantes imágenes de este tema. Con posterioridad hemos descubierto otra, también de valía, en un pueblo de la Alpujarra. Sobre el arte de Risueño, en general, véase el libro de DOMINGO SÁNCHEZ-MESA, *José Risueño, escultor y pintor granadino* (1665-1732), Granada, 1972.

90. Al corregir las segundas pruebas de este ensayo hemos conocido el reciente artículo de Julián Gállego, *El retrato en Tiziano* publicado en *Goya*, n.º 135 dedicado a Tiziano, Madrid 1976, que es de interés recordar para alguno de los temas que tratamos.

INDICE

colección goliárdica

Dados, amor y clérigos
Luis Antonio de Villena

Travelling
(Itinerario transexual)
Kathy Dee

**Grandes nociones de
sociología**
Jean Cazeneuve

Al margen de «El Capital»
Gabriel Albiac

Mística, plástica y barroco
Emilio Orozco

La violación
Susan Brownmiller

**Realidad y experiencia
de la novela**
Leo Hickey

Cine panorama hoy
Julio Diamante

**El mito de la dama y
el unicornio**
Bertrand D'Astorg

Bestiario fantástico
Juan Perucho

Tipología del cuento literario
Edelweis Serra

Memorias (5 vols.)
G. Casanova

La ira y la palabra
Pilar Hidalgo

Tristán e Isolda
Edición de Alicia Yllera

**Nacismo y sociedades
secretas**
Jean-Claude Frére

El Castillo de Axel
Edmund Wilson

**Los fundamentos
de la democracia**
Jacqueline de Romilly

**La generación del gran
recuerdo**
Mercedes Rosúa

La Cartuja de Parma
Stendhal

Política de la imaginación
Dominique Guérin

La lingüística (Introducción
a la lingüística descriptiva)
Antonio García Berrio

Fisiología del gusto
Brillat Savarin

Crímenes célebres
Alejandro Dumas

Navegar mares prohibidos
Cándido Pérez Gállego

El misterio de Cagliostro
Pierre Mariel

Borges o la coincidencia de los contrarios
Ester Cédola Veiga

Semántica musical
Alain Daniélou

Silva varia de amor y amantes
L. A. de Villena y
L. A. de Cuenca

Teatro completo (Vol. I)
Fernando Arrabal

Fabliaux 1
Edición e introducción
de Gabriel Oliver

1. María del Carmen Bobes (Universidad de Santiago):
   Gramática de «Cántico» (2.ª edición)

2. Manuel Alvar (Universidad Complutense de Madrid):
   Teoría lingüística de las regiones

3. Joaquín González Muela (Bryn Mawr College):
   Gramática de la poesía

4. María del Pilar Palomo (Universidad de Málaga):
   La novela cortesana (Forma y estructura)

5. María Grazia Profeti (Universidad de Padua):
   Paradigma y desviación

6. David Bary (Universidad Complutense):
   Larrea: Poesía y transfiguración

7. Carlos Feal Deibe (Universidad de Buffalo. Nueva York):
   Unamuno: El Otro y Don Juan

8. María Jesús Fernández Leborans (Curso superior
   de Filología. Málaga):
   Campo semántico y connotación

9. Hernán Urrutia Cárdenas (Universidad de Deusto):
   Lengua y discurso en la creación léxica

10. Humberto López Morales (Universidad de Puerto Rico):
    Sociolingüística, dialectología y gramática generativa

11. Carlos Alvar (Academia de Buenas Letras. Barcelona):
    La poesía trovadoresca en España

12. María Casas de Faunce (Universidad de Puerto Rico):
    La novela picaresca latinoamericana

13. Walter Mignolo (Universidad de Michigan):
    Teoría del texto literario

Edita: Cupsa Editorial. Cristóbal Bordiú, 35. 2.º (207) - Madrid-3
Primera edición: noviembre de 1977
Depósito legal: M. 36.297-1977
ISBN: 84-390-0046-4
Composición: Fotocomposición Velázquez. Eraso, 36. - Madrid-9
Estampación: Artigrafía, S. A. - Tucán, 36. - Madrid-25

Título de la Edición Original: ...
Primera edición: noviembre de 1979
... Derecho reservados ... 1979
198... de la obra...
Compañía ... Valparaíso, Fraso 240. Madrid-10
... S.A., Galán 19, Madrid-25.